采配《さいはい》

落合博満
Ochiai Hiromitsu

ダイヤモンド社

どんな局面でも、采配というものは結果論で語られることが多い。
采配の是非は、それがもたらした結果とともに、
歴史が評価してくれるのではないか。
ならばその場面に立ち会った者は、
この瞬間に最善と思える決断をするしかない。

目次 contents

1章 「自分で育つ人」になる

2章 勝つということ

3章

どうやって才能を育て、伸ばすのか

4章 本物のリーダーとは

5章 常勝チームの作り方

6章

次世代リーダーの見つけ方、育て方

1章

「自分で育つ人」になる

本当の意味でのプロとは、
自ら考え、責任を持って行動し、
積極的に教えを乞い、成長を続ける、
いわば「自立型人間」のことである。

孤独に勝たなければ、勝負に勝てない

「一人で過ごすのは好きだけれど、孤独には耐えられない」

最近の若い選手に対する印象だ。これは、子供の頃からの生活環境も大きく影響していると思う。親子3代同居が核家族化し、少子化も手伝って一人部屋を与えられる子供が増えた。テレビゲームや携帯電話の急速な普及も、一人で過ごす時間を作り出している。プロ野球界の環境の変化も例外ではない。その昔、遠征先の宿舎は旅館が多く、首脳陣や一部のベテランを除いて大部屋で過ごしていた。しかし、現在はホテルの個室が大半である。

これ自体はいいか悪いかではなく、完全に時代の流れだ。生活様式や食生活が純和風から欧米型になっているのと変わりない。その中で、若い選手たちも一人で過ごす時間が長くなっている。

「最近の若いヤツらは、終業後に飲みに誘っても来ない」

管理職世代のそんな嘆きもよく耳にするが、若者たちの気質の変化には配慮してもいいと思う。

プロ球団の遠征先での食事は、ホテルの宴会場を会場にしていることが多い。中日ドラゴンズでは、約1か月にわたって寝食をともにする春季キャンプ中は、それを選手用と首脳陣用に分けていた。**食事の時間くらい上司の顔を見なくてもいいだろうと考えたからだ。**夕食をサッと済ませ、自室でパソコンに向かっていようが、奥さんや彼女と長電話していようが構わない。プロ野球選手は、グラウンドで結果さえ残してくれればいいのだ。

ところが、そのグラウンド上でひ弱さを見せるようだと、「若者の気質に配慮して」などとも言っていられなくなる。

自分の時間は一人で過ごしたいのに、グラウンド（仕事）では「どうすればいいですか」「何か指示を出してください」「これで間違っていませんか」という頼りなげな視線を向けてくる。

それでは困る。**自分一人で決めねばならないのだ。**

選手は誰でも可愛い。すぐにでも助け舟を出してやりたいと思うのだが、バッターボックスにいる選手の元へ足を運び、肩に手を置いて「頑張れ」と励ましてやることはできない。

野球は9人対9人で戦うチームスポーツだが、実際は投手と打者による1対1の勝負である。しかも、投手の指先をボールが離れると、コンマ何秒で勝負がついてしまう。

そんな**一瞬の勝負に、長々とアドバイスしている時間はない。**

一般社会でもそれと同じような場面があるはずだ。若手もベテランも関係なく、お客さんのところへ一人で営業に行ったり、会社の責任者として取引先などへ一人で行かされたりすることもあるだろう。

会社を背負って、勝負を背負って、たった一人で複数の相手に立ち向かう場面では、緊張感とともに孤独感を抱くはずだ。その孤独感は、「一人で過ごせること」とはまったく意味合いが違う。

孤独に勝てなければ、勝負に勝てないのだ。

孤独に勝てなければ、
勝負に勝てないのだ。

向上心より野心を抱け

先ほど「孤独に勝て」と言ったが、孤独に勝つ強さはどこから生み出されるのだろうか。

私は「野心」を抱くことではないかと考えている。

かつて、プロ野球界に飛び込んでくる選手はお山の大将ばかりで、自分を過大評価してしまうことが順調な成長を妨げる要素と考えられていた。

しかし、最近では周囲がある程度認めているのに、自信を持てずに自分を過小評価している選手が目立つ。ただ、彼らは練習には熱心に打ち込んでいるし、首脳陣の言うことも素直に聞く。もちろん、上手くなりたいという気持ちは強く、真っ直ぐな「向上心」は抱いているという印象だ。

それはいい。だが、自分が身を置く世界を太く長く生き抜いていきたいと思っているのなら、**向上**

心よりも野心を抱くべきだと思う。

やや響きのよくない言葉かもしれない。それでも、プロ野球界で言えば「近い将来にレギュラーになってやる」という向上心よりも、**「レギュラーの寝首を斬《か》いてでもポジションを奪ってやろう」と心に秘めるのが一流への近道になる。**

どんなに一生懸命に練習に打ち込んでも、ライバルとの競争に勝ち、投手との勝負に勝ち、チームの看板選手としてペナントレースに勝たなければ、本当の一流にはなれない。

ならば、自分を高めようという意欲の上に、「どんな相手が目の前に現れても、必ず俺が蹴落としてやる」という野心が必要なのだ。

野心を抱けば、自分の周りの世界が見えるようになる。そして、たとえ自分が上手くなっても、ライバルがもっと上手くなったら自分の立場は変わらないということがよくわかる。そう実感すれば、**今は死にもの狂いで食らいつく時なのか、力をしっかり蓄えるべきなのかといった「今自分がすべきこと」も見えてくるのだ。**

「嫌われている」「相性が合わない」は逃げ道である

「俺は監督に嫌われているんじゃないか」

プロ野球界には、そう思いながら悶々とプレーしている選手がいる。一般社会でも「あの上司とは相性が合わない」と悩んでいる人は少なくないという。私から言えることはただひとつ。

「そんな逃げ道を自分で作るな」

そもそも、相性で人間関係を築いたり、ものを考えるのは配偶者、家族、恋人、友人といった私生活の場面だ。社会、あるいは組織に必要なのは「能力」である。

私の場合は、そんな誤解をさせないためにも、監督に就任した当初から明言してきた。

「俺は好き嫌いで選手を使うことはない」

それでも、一軍へなかなか昇格できなかったり、一軍でも出場機会を与えられないと、その原因を首脳陣との相性に求めてしまう選手はいるようだ。

親しい記者やファンからの「監督に嫌われているんじゃないの？」という同情を鵜呑みにしている者もいるかもしれない。

そう思う前に、やることはいくらでもあるだろう。大切なのは、「自分の置かれている立場を、自身で正当に自己評価すること」である。

正当にというのは、自分と向き合い、**冷静に組織の中における今の自分の立ち位置を見る**ということ。「自分が監督やコーチだったら、今のオレはどう評価されるだろう」と客観視することだ。

ドラフト指名されてプロ入りした選手には必ず何らかの能力がある。

150キロを超えるストレートを投げられる、50メートル走で6秒を切ることができる、どちらも立派な能力だろう。ただ、150キロのストレートがストライクゾーンになかなか入らないなど、その能力は未完成であるケースは多い。だが、その能力自体は本物だ。それを磨いていくことが、プロ野球界を生き抜く道なのである。

そうやって目標を立て、練習では150キロのストレートでストライクを取れるようになった。ファームの試合に登板すると、相手打者がそのストレートを次々と空振りする。自信もついたが、一軍からは声がかからなかった。確かに、自分はまだルーキーだし、先輩投手のコントロールはもっと優れている。3年目くらいまでは、しっかり努力して力をつけていこう。誰でも最初はそう前向きに考えている。

2年目には一軍登板を経験した。まずまずの成績も残せ、3年目は一軍定着が目標になった。ところが、ファームでの成績はよくなっているのに、一軍登板の機会は2年目よりも少なくなってしまった。すると、次第にこんな思いを抱く。あいつは俺よりストレートが遅いのに何で使われるんだ、あいつは1年目からなぜ一軍へ昇格できるんだ。

そして、「俺は監督に嫌われているんじゃないか」と考え始める。

だが、その投手を客観的に見ていくと、2年目に一軍へ昇格できたのは、本人の実力というよりも、主力投手に故障者が出たからだったりする。

実力で一軍の席を奪い取ったのではなく、欠員補充の形である。それでも、投手コーチからは3年目の課題を与えられ、それをクリアすれば一軍に定着できる道は示されていた。そして、3年目の春季キャンプでは一軍投手枠を最終決定する段階まで残っていたものの、肩に違和感があると訴え、自分から勝負のステージを降りてしまった……。結局、肩の違和感は大事に至らず、ファームでは成績を残したのかもしれないが、その年は主力投手が揃って好調を維持したために席が空かなかった。

そうした状況を直視せず、**「俺は一生懸命やったのに」と憤慨しても道は開けない。**

上司や監督に「嫌われているんじゃないか」。

そう考え始めた時は、**自身を見る目が曇り始めたサイン**だと気づいてほしい。

前向きにもがき苦しめ

三塁手としてプロ入りしたが、1年後に入団してきた後輩が、ベテランからサードのレギュラーを奪い取ってしまった。このままサードにこだわっていても、出場機会を得るのは難しそうだと感じたのなら、ショートはどうか、セカンドはどうか、あるいは外野にまわればチャンスがあるのではないかと考えてみる。そして、腹を括ったらコーチの助言も求めながら泥だらけになって練習に打ち込めばいい。ショートに挑戦したが、他の選手に先を越された。それならセカンドで芽を出してやろう。

そうやって**前向きにもがき苦しむ経験は、すぐに結果に結びつかなくても、必ず自分の生きる力になっていく。**

私自身がそういう選手だった。

社会人野球の東芝府中からドラフト3位でロッテオリオンズへ入団し、1年半はファームで目立つ成績を残しても、一軍に呼ばれるとさっぱりだった。

2年目の夏、球団代表だった西垣徳雄さん（球団代表といっても、プロ球団で監督を務めた経験のある方だった）が「社会人のスラッガーを獲ったのにもったいない。落合を使え」と命じて一軍へ昇格した。それで結果を残せなければ終わり。最後のチャンスだと感じた私は、近鉄のエース・鈴木啓示さんから代打本塁打を放った。そこから出場機会をもらい、2年目は後半戦だけで15本塁打をマークした。

それでもまだ〝一軍半〟である。一軍に定着するため、シーズンオフには実戦経験をさらに積みたいと考え、中南米で開催されているウインター・リーグへ派遣してほしいと球団に頼んだが、当時は海外とのパイプも現在ほど確立されていなかったこともあり、実現しなかった。

しかし、チャンスは訪れた。ベテラン選手が移籍したセカンドのポジションで、なかなかレギュラーが決まらなかった。そこで、私は社会人時代までほとんど経験のなかったセカンドの守備練習に取り組み、3年目に二塁手としてレギュラーになった。そして首位打者のタイトルを獲り、道を開いたのである。ちなみに、3年目も一軍に定着できなければ、スイッチヒッターに挑戦してやろうと考えていた。

人生にはさまざまな道がある。どうせ歩むなら、逃げ道を後ずさりしていくよりも、栄光への道を、模索しながら、泥だらけになりながらでもいいから、一歩ずつ前進していきたいものだ。

前向きにもがき苦しむ経験は、
すぐに結果に結びつかなくても
必ず自分の生きる力になっていく。

セルフプロデュースとは、目の前の仕事にベストを尽くすこと

どんな世界でも、超一流と評される実績を残すような人は、「他の仕事をしても成功できただろう」と言う人がいる。だが、本当にそうなのか。それは誰にもわからない。

私は1978年のドラフト会議でロッテから3位指名を受け、プロ野球の世界に飛び込んだ。実は、その前年にも阪神が指名をするかもしれないという話があったが、ドラフトでは別の社会人選手を指名している。また、ロッテに指名された年も、巨人が2位で指名する予定だったと後に聞かされた。しかし、江川卓投手の獲得を巡る騒動で巨人はドラフト会議をボイコットし、私を指名することはできなかったのだ。

もし1年前に阪神から指名されていたら、あるいは巨人に指名されていたら、私は三冠王を3度も獲得するような野球人生を歩んでいたのかどうかはわからない。私自身は、その仕事を始めたタイミング、そこで出会った人との縁といった要素も、その人の人生を左右するのではないかと思っている。そして、**どんな道でも成功を収めるためには、ある種の才能が必要だ**と感じている。

その〝才能〟とは、ボールを投げたり打ったりというものではない。プロ野球界に入ってくるような選手は、誰でも野球センスには恵まれていて、プレーに関する才能は備えている。それとは別に、**自分自身を適性のある世界に導く才能**とでも表現すればいいのか、**セルフプロデュースする能力**が必要なのではないだろうか。

子供の頃からの夢を叶えようと努力し、プロ野球選手になった。多くの人は、そこで才能が認められたと思うだろう。しかし、本当はその人は、会社を経営する資質に恵まれていたとする。それに気づかず、あるいは、会社を経営してみたいと思えるような動機に巡り合えずにプロ野球選手になったのかもしれない。

それで私のように20年もの現役生活を送れば、「他の仕事をしていればよかった」とは思わない。だが、プロ野球選手として大成できなければ、表現は悪いが「道を間違えた」ということになるのだろう。事実、若くしてユニフォームを脱ぎながら、まったく別の分野で成功した人は少なくない。

監督として選手を見ていると、「彼は野球よりも別の仕事に向いているな」ということまではわからないにしても、「このままドラゴンズにいても出番には恵まれないだろう」と思える時があった。そういう選手は、他球団にトレードしてチャンスを広げてやりたいと思う。

プロ野球界には、自由契約やトレードで移籍した選手が移籍先の球団で活躍すると「前の球団はどこを見ていたんだ」と内外から批判されるため、他球団なら活躍できそうな選手を買い殺しにしてしまうケースがある。だから、私のように「ドラゴンズでは芽が出なくても、他球団で活躍できればいいじゃないか」と考えている指導者は少数派だった。

しかし、現代は一般社会でも「男子一生の仕事」という概念が希薄になり、**人材が動く時代になった**。プロ野球界も、野球界全体で選手を生かす道を考えなければならない。

人材が動く時代では、能力を認められればヘッドハンティングされる一方で、戦力と見なされずにリストラされる人たちも増えてきた。「サラリーマンは気楽な稼業」でなくなった以上、契約社会であるプロ野球のように、しっかりセルフプロデュースすることによって道を開いていく考え方は必要なのではないだろうか。

どうしても使う側と使われる側に考え方の違いがある以上、頑張っているつもりでも評価されなかったり、上司との人間関係に悩まされることはあるはずだ。その際に「ここに留まるべきか、別の道を探すべきか」を自分で判断しなければならない。そのためには、**普段から目の前の仕事にベストを尽くすこと**が条件だ。

野球の世界で言えば、練習でできないことは試合でもできない。このことを選手本人も自覚している段階では前向きに努力できるのだが、練習でできるようになると、首脳陣と選手の間に認識の違いが生まれることがある。

つまり、こちらはまだ試合で使えるレベルではないと見ているのに、選手本人は試合でもできると思い込むケースだ。それでチャンスがないと悩んでも道は開けない。要は、自分だけができるつもりになるのではなく、**「誰が見ても試合でできると思えるレベル」まで、自分のパフォーマンス（仕事）の質を高めていくしかない。**

自分には何ができるのか正しく認識し、できないことはできるように努力し、できるようになったら質を高めていく。こうやって段階を踏みながら仕事に取り組めば、次第にその仕事は自分に合っているのか、あるいは別の分野で頑張っていくべきなのか、客観的な視点でも判断できるようになる。そして、仕事を通して知り合った人の助言も得ながら、自分の進むべき道を模索してみるのがいいだろう。

不安だから練習する。練習するから成長する

私は45歳まで現役でプレーした。だが、2011年の時点でドラゴンズの山本昌は46歳、プロ生活28年目になっているし、最近は40代になってもプレーを続けている選手など珍しくない。

超ベテランと呼ばれる彼らの活躍は、同世代のビジネスマンたちの活力というか励みにもなっているようだ。私に言わせれば、ビジネスマンのほうがよほど厳しい世界で戦っていると思うが、プロ野球選手が誰かの希望の光になっているなら、それはいいことなのだろう。

さて、40代でも現役を続けられる選手が増えた理由はどこにあるのか。

スポーツ医学やコンディショニングが目覚ましく進歩したのも一因になるだろうが、最も大きな理由は、**下（若手）からの突き上げが弱くなっていること**ではないか。

プロ野球選手は、春季キャンプが始まる2月1日からシーズンが終わる11月30日まで、10か月間の契約を所属球団と結んでいて、これを稼働期間と呼ぶ。ゆえに、12月1日から1月31日の2か月間は契約期間外に当たり、選手は球団に拘束されないことになっている。つまり、監督やコーチが練習させることもできないのだ。この2か月間は**ポスト・シーズン**と呼ばれている。ちなみに、クライマックス・シリーズや日本シリーズなどをペナントレースに対してポスト・シーズン・ゲームと呼んでいるが、これとは違う。

実は、私が若かった頃は、このポスト・シーズンが明確化されていなかった。年内は12月25日くらいまで、年が明けると1月5日頃からは半ば強制的に練習をさせられていたのだ。もちろん、実績を残している選手はポスト・シーズンの練習も自主性に任されており、マイペースでやりたければレギュラーになれという風潮があった。

これがよかったのかどうかは別として、若い選手がポスト・シーズンも練習を続けさせられたことで力をつけていたのは、紛れもない事実だ。ベテランには、自分がどれくらい練習すればいいのか、どこで休養を取ればいいのかなど、経験に基づいた知識がある。それを持たない若手は、ポスト・シーズンも練習させられる中で、その知識を得ていくという流れだった。

しかし、**現在はポスト・シーズンも指導者に見守られながら練習したほうがいいと思える若手選手にも、監督やコーチは一切手を出せない。**それで若手の成長速度が緩やかになり、したがってベテランの寿命が延びたと私は解釈している。

「休みたければユニフォームを脱げばいい。誰にも文句を言われずにゆっくり休めるぞ」

時折、私は選手に向かって冗談めかしてそう言う。だが、**1年でも長くユニフォームを着ていたいのなら、休むということは考えちゃいけないよ、という本音のメッセージも込めている。**だからというわけではないだろうが、最近の選手は若手に限らず、ポスト・シーズンも何かしら体を動かしている。結果的に、私たちの頃よりも休養している時間は短くなったのではないかと思う。

時代によって半強制的か、自主性に任されているかは変わっているが、プロ野球選手はなぜポスト・シーズンも練習するのか。それは恐らく、体を動かさないと不安になるからだろう。ポスト・シーズンも練習させられていた私たちは、「早く休みたいな」と思いながらも体を動かし続け、その不安を払拭していたのだと思う。

一方、最近の選手はその不安を自分一人、あるいは何人かの仲間と練習しながら解消していかなければならないが、指導者が見ていない分、「これでいいのか」と感じて不安が消えないのかもしれない。そして、消えない不安が「自信がない」という気持ちになっていく。「自信がないのは自分だけなのか」と思えばいっそう自信がなくなり、それが成長の速度を奪っていく。ポスト・シーズンの明確化は、そんな現状を生み出しているのではないかと推測している。

そんな若手選手に言いたい。

「不安もなく生きていたり、絶対的な自信を持っている人間などいない」

私が半強制的なポスト・シーズンの練習で学んだのは、**「不安だから練習する」という原則**である。試合開始まで横になって寛ぎ、プレイボールがかかってグラウンドに出れば活躍する。そんな選手になれたら練習は必要ない。私もそういう選手になりたかった。だが、どんなに練習してもそれほどの選手になるのは不可能であり、誰もが何らかの不安を抱えてプレーしているからこそ、少しでも不安を払拭しようと練習するのだ。

また、「これをやっておけば絶対に大丈夫」という練習方法もない。だから、どんな仕事にも不安は常につきまとうものなのだ。不安を拭い去れず、「俺は自信がない」とひるんでいては進歩がない。誰もが不安を抱えているからこそ、試行錯誤しながら努力を続けられるのである。そう考え、自分はどんな練習（努力）をすればいいのか考え抜くことが大切なのだ。

不安もなく生きていたり、
絶対的な自信を持っている人間
などいない

「心技体」ではなく「体技心」

人間の成長にとって大切な要素として「心技体」という言葉がある。精神面、技術面、体力面を表しているが、なぜこの順番なのか。

「技心体」や「体心技」と口にしてみると、確かに「心技体」が最も語呂がいい。では、この3つの要素を大切な順番に並べるとどうなるか。

私は「体・技・心」になると思う。

プロ野球選手だからというわけではなく、ビジネスマンであれ学生であれ、仕事や勉学に打ち込む時には体力が必要だ。病気などで体力が落ちている時は、なかなか気力も湧いてこない。人間の生活を根本的に支えているのは体力なのだから、まず体力をつけておくことが肝要だろう。

ちなみに、体力にも種類がある。**若い時期に必要なのは基礎体力だ。**よく食べ、よく睡眠を取って丈夫な体を作るということである。この基礎体力は年齢を重ねていくのに比例して落ちていくが、代わりに仕事に必要な体力が備わってくる。プロ野球選手なら、足の速さや肩の強さが、1年間をケガなく戦える体力に変化していく。ビジネスマンの場合は、自分の仕事を無駄なくこなしていく生活サイクルの確立と置き換えてもいいだろう。**要は仕事をしていく体力**ということだ。

技と心は序列をつけにくいが、**技術を持っている人間は心を病まない**という意味で技を先にした。練習するのは不安を解消するためだと書いたが、それで自分なりに「これは誰にも負けない」という技術を身につければ、それがセールスポイントになり、セールスポイントを周囲からも認められることで自信が芽生えてくる。そうなると、自分が自信を持っている分野に関しては意欲的に探究していくものだし、何か壁にぶち当たっても逃げずに乗り越えようとする。そうやってセールスポイント、あるいは得意分野を2つ、3つと増やしていけば、ちょっとしたことで悩んだりしないはずだ。仕事自体が嫌になるような状況にも陥ることにないし、心の健康も保っていられる。

話はやや逸れるが、スポーツの世界に〝イップス〟という厄介なものがある。ゴルファーが極度の緊張からイメージ通りのショットを打てなくなる状態を指し、それが次第に野球界でも使われるようになった。

例えば、投手が相手打者の頭部に死球を与えたのをきっかけに、内角へは投げ込めなくなること。

サヨナラ負けの原因となる悪送球をしてしまった内野手が、同じような場面、位置から送球できなくなってしまうこと。これらをイップスと呼んでいる。

このイップスは医学的にも研究され、一種の病気として治療法もある。だから、私が断定的な言い方をするわけにはいかないが、野球界で言われている大半のイップスは治せるのではないかと考えている。なぜなら、「私はこういう経験をしたので投げられません」という技術のない者の逃げ道にもなっているからだ。実際、ドラゴンズにも同じような症状を抱えている選手はいたが、私はその選手にこう告げた。

「じゃあ、投げられないから試合に出ませんと言っているんだな」

すると、「試合には出られますが、正確な送球ができないとチームにも迷惑がかかるので」と返してくる。まさに「自分がミスした場合の理由がイップスなのだ」と予防線を張っているわけで、技術の未熟さに対する不安が投げられない原因だと私は解釈した。

「試合に出る以上、どんなミスでも自己責任だ。ミスするのが嫌なら練習して技術を磨け」

イップスを治すには、**技術を身につけて自信を得るしかない**と、私は確信している。

一般社会でも、性格や考え方に問題があるとされた人に対して、「それはあいつの問題だから治せない」と匙《さじ》を投げているケースが少なくないだろう。

ならば試してほしい。**どんな人でも、何かの技術を身につけようと、ひとつのことに打ち込めば、性格や考え方にも変化が生まれるのだ。**自分に自信が芽生えれば、他人の言うことにも耳を傾けるようになるし、自分の殻に閉じこもってしまうこともない。そんなに簡単なものじゃない、と反論する人もいるだろう。だが、これもプロ野球という世界で何百人、何千人という人間と接してきた私の人材活用論なのである。

さて、一定の技術を備え、心を病まない一人前のビジネスマンになった。しかし、季節の変わり目になると体調を崩しているようでは、本当の一人前とは呼べない。やはり、**体・技の順序で強くなれば、心もタフになっていく**ものだろう。

失敗や試練を乗り越え、経験や技術を身につけることで、おのずと心も鍛えられ、挫折から立ち直れる、本番で本領を発揮できる、強い精神力を持つプロフェッショナルに成長していくのだと思う。

明日の「予習」ではなく、今日経験したことの「復習」がすべて

子供の頃、担任の先生や親から「勉強は予習と復習が大切だ」とよく言われたものだ。私は勉強が好きではなかったから、予習も復習もせず、学校の授業だけを聞いていた。それでも、テストではまずまずの点数が取れたし、通知表の成績もよかったほうだと思う。振り返れば、勤勉ではなかったが、要領はよかったのだと思う。

だが、**社会に出たら要領のよさだけでは生きていけない。**

自分自身の仕事の腕を磨きながら、一定の実績を残していかなければならないからだ。では、ビジネスにも予習や復習は必要だろうか。プロ野球の世界に限れば、私自身は**予習はいらないが、徹底した復習が必要**だと考えている。

最近はビデオカメラの性能が格段に向上したこともあり、どの球団もライバルチームの選手のプレーを収録した映像を持っている。それも、半端な数ではない。こうした映像データの収集はアマチュア野球でも盛んに行なわれている。特に、次に対戦する投手についてはスピード、変化球の軌道、フォームのクセなど、あらゆる情報を事前に視覚で確認することができる。その投手は、データ上では丸裸にされているわけだ。

では、その投手のボールをイメージ通りに打てるかといえば、そう容易ではない。

実際に打席に立ち、自分の目でボールの速さやキレを実感すると、ビデオ映像で見たものとは違うように感じられることもある。事前に情報を得ておくことは大切だが、それがすべてでないことは、どんな仕事でも一緒だろう。やはり、打席（現場）で感じたことが最も重要な情報になる。

このように、打者の場合は対戦する投手のビデオを事前に見ておくことよりも、実際に対戦した後に自分で感じたことをまとめ、次の対戦に生かしていくことが肝要だ。しかも、その**まとめ方の優劣**が次の対戦結果を暗示すると言ってもいいだろう。

また、**この手順は技術を習得する段階にも共通している。**自分の打撃フォームを固めていくためには、正しいスイングを数多く繰り返すしか方法はない。何度もスイングを繰り返し、自分のスイングが固まってきたと感じたら、実際にボールを打ってみる。そこで思い通りの打球が飛ばなければ、また出発点に戻ってスイングを作っていく。見つかったのが小さな課題であれば、それをいかに修正するかを考える。

そうやって課題を克服しながら納得できるスイングをできるようになったら、今度は1000回振ってても同じスイングができるように精度を高めていく。どんな仕事でも、ひとつの技術を身につけていく作業は地味で、相当の根気も必要になる。つまり、技術の習得法には時代の変化も進歩も当てはまらない。胎児が1日、1日と母親のお腹の中で育っていくように、コツコツとアナログで身につけていくものだ。

だからこそ、「明日取り組むことの予習」よりも、**「今日経験したことの復習」**が大切になる。技術を身につける際、修得するスピードが速いと「センスがある」と評されることがある。実際、春季キャンプで1週間も経たないうちに、レギュラークラスと同じように動ける新人もいる。ただ、これは昔から指導者の悩みの種と言われているのだが、**飲み込みの早い人は忘れるのも早いことが多い**。

「あれ、あいつは去年はできていたのに……」

そう思わせるのは飲み込みの早い選手だ。

「こいつは何度言えばできるようになるんだ」

一方、内心でいら立つくらい飲み込みの悪い選手ほど、一度身につけた技術を安定して発揮し続ける傾向が強い。彼らの取り組みを見ていると、自分でつかみかけたり、アドバイスされた技術を忘れてはいけないと、何度も何度も反復練習している。**自分は不器用だと自覚している人ほど、しっかりと復習する**ものなのかもしれない。技術事に関しては、飲み込みの早さが必ずしも高い修得率にはつながらない。だからこそ、じっくりと復習することが大切というのが私の持論だ。

ビジネスマンも野球選手も、3つの敵と戦っている

ビジネスマンもプロ野球選手も、仕事を「戦い」や「闘い」にたとえれば、自分のスキルを成熟させながら**3つの段階の戦い**に直面することになる。

それは、**自分、相手、数字**だ。

学業を終えて社会に出たら、まずは業種ごとに仕事を覚え、戦力になっていかなければならない。教わるべきことは教わり、自ら考えるべきことは考え、早く仕事を任されるだけの力をつけようとしている段階は**自分との闘い**だ。正しい方法論に則《のっと》って努力すれば、ある程度まで力をつけることがで

きる。プロ野球選手で言えば、育成の場であるファームから勝負の場である一軍へ昇格し、25人のベンチ入りメンバーに定着していく段階を指すのだろう。

半人前、一人前になれば、営業職なら外回りをして契約を取る。それまでに教えられたこと、経験したことを元に成果を上げようとする段階では、どうすれば相手を納得させられるか、信頼を勝ち取れるかなど、**相手のある戦い**に身を置く。プロ野球選手なら、どれだけ相手に嫌がられる選手になれるかを考えるのだ。

そして、営業成績でトップを取れるような実力をつけたり、職場には欠かせないと思われる存在になれたら、自分自身の中に「もっと効率のいいやり方はないか」、「もっと業績を上げられないか」という欲が生まれる。現状のままでは評価されなくなるという切迫感、これで力を出し切ったとは思われたくないというプライド、さらなる高みを見てみたいという向上心とも向き合いながら、最終段階として**数字と闘う**ことになる。契約数アップ、開発時間の短縮、コストの削減――プロ野球選手ならば、打率、防御率など、数字と闘えるようになれば本当の一人前、一流のプロフェッショナルということになる。

ただ、この**〝数字と闘う〟ことは、一流のプロでも容易ではない。**

毎シーズン、開幕前に「三冠王を獲ります」と宣言してプレーしてきた私でさえ、数字との闘いに勝てなかった経験は何度かある。だから、監督として「おまえも数字と闘える段階になったな」とは口が裂けても言えないものだ。

2011年のドラゴンズは打線が低調だった。特に左右の主軸である森野将彦と和田一浩の調子がいっこうに上がらなかったことには、ファンの皆さんもやきもきしたと思う。彼らを間近で見ている立場から言えば、和田が不振に喘ぐかもしれないという想定はしていた。2010年はセ・リーグの最優秀選手に選ばれたものの、よりシンプルな打ち方を身につけようと新たな取り組みをしていたからだ。

和田のように実績を残している選手が、さらに高度な技術を習得しようとした場合、その**プロセスにおいて以前のような成績を残せなくなるリスクはある。**それでも新たな段階に進もうとするか、現状のままでやっていこうとするか。それは和田自身が判断することであり、私も口を挟むことはできない。和田本人が決断した以上、それをサポートするために我慢も必要だと腹を括っていた。

やや予想外だったのは森野のほうだ。前後の打者の不振によって「自分が打たなければ」と気負いすぎたか。2011年から「飛ばない」と言われているボールを使用することになったが、それを気にしすぎて形を崩したか。どちらも遠因にはなったのかもしれないが、私が感じた中で**一番の原因は〝数字と闘った〟こと**だと思う。

プロ野球の試合が行なわれる球場では、打席に立つ選手の打率、本塁打、打点という主だった数字をオーロラビジョンに表示する。開幕直後はともかく、1か月が過ぎても、2か月が過ぎても数字が伸びてこないと、どうしても打席に入る際に気が滅入ってくる。

対戦相手も、はじめのうちは「森野がこのまま終わるわけがない」と思っているから、場面によっては四球で勝負を避けたりするのだが、次第にオーロラビジョンに表示されている数字を信用するようになってくるのだ。つまり、一軍に昇格してきたばかりの投手まで、「あの（高くない）打率なら、俺も森野さんを抑えられるんじゃないか」と考え、思い切ったボールを投げてきたりする。相手が大胆に攻めてくれれば、当然、森野は対処に手こずるだろう。

そうしたさまざまな要素が悪循環となり、本当にわずかの違いなのだが、打撃を小さくしてしまったという印象だ。私も森野に「数字とは闘うな」と助言したが、打席に向かう際にはどうしてもオーロラビジョンを見てしまうものだろう。

このように、**数字とは厄介なものである**。

自分が残している結果をただ表すだけ。どんなに一生懸命に営業しても、契約を取れなければ「0」としか表せない。数字ははっきりと現状を映し出してしまう。それだけに数字と闘うのは苦しいのだが、そこは苦しさを噛み締めながら、自分で乗り越えていくしかない。

そして、数字と闘った経験のある者は、苦しむ後輩にタイミングを見計らって「数字と闘えるようになったら一人前だ。でも、今は数字とは闘うな」と助言してやりたい。最終段階での闘い、一流のプロフェッショナルの闘い、それが数字だ。数字は自身の揺るぎない自信にもなるが、魔物にもなる。

それゆえ、スランプに陥った時には、**数字の呪縛から解き放つ術も知らなければいけないのだ。**

「達成不可能に思える目標」こそ、数字に勝つ唯一の方法

数字との闘いは苦しいと書いたが、私なりの克服法も記しておかなければ無責任か。そこで、私が実践してきた唯一の方法を明かしておく。

それは、**「達成するのは不可能ではないか」という目標を設定することだ。**

プロ野球の世界では、野手ならば打撃タイトルを獲得すれば一流と言われる。その中で、本塁打のタイトルは、心技に優れ、クリーンアップを任されているような一部の選手にしか狙うことができない。一方、打点のタイトルは、どれだけ自分の前の打者が出塁してくれるかという巡り合わせもポイントになるだけに、やはり打線の軸を任されている選手が争うものだ。

しかし、最高打率の選手が手にする首位打者のタイトルだけは、豪快な本塁打でもボテボテの当たりの内野安打でも「ヒット1本」として扱う。唯一の資格は規定打席（シーズン試合数に3・1をかけたもの。144試合なら446打席）到達者であるから、レギュラーとして出場している選手には誰でも獲得できる可能性がある。つまり、一流選手へのステップのひとつとして、多くの選手はレギュラーとして打率3割をクリアしようと奮闘する。

私自身の経験、あるいは他の選手の取り組みを見ていても、3割という打率を叩き出すのは容易なことではない。打率2割8分、9分台をマークした選手は、ファンやメディアから「3割まであと一歩」と言われるが、**その1分、2分を積み上げるのが至難の業だ。**これまでにも何人もの選手が、3割の壁に跳ね返されたままユニフォームを脱いでいる。

だが、**3割を超えられない選手の傾向を分析すると、3割を目標にしているケースがほとんどである。**一方、3割の壁を突破していく選手は、**一度も3割をマークしていないにもかかわらず、3割3分あたりを目指している。**毎試合3打数1安打なら、打率は3割3分3厘になるというのが目標になる根拠だが、そうやって「達成するのは不可能じゃないか」と自分でも思えるような目標を設定して初めて、現実的に達成可能な目標をクリアできるのだ。

そこには、メンタル面での理由もある。3割を目指す選手は、2割8分くらいまでは平常心で打席に立っていられるが、2割9分、2割9分5厘と打率を上げてくると、自分の打撃を見失ってスランプに陥ることが多い。

つまり、3割という数字が、自分の中で**「目標」から「ノルマ」に変わってしまうのだ。**目標とノルマ。こうして文字を見ただけでも、ノルマには身を硬くしてしまわないか。ノルマにはどうしても義務感が伴ってしまうものだ。そこから焦りが生まれ、平常心を失っていく。だからこそ、3割3分を目標とし、2割9分から3割へ打率を上げていくのも、**あくまで通過点**だと感じられるようにしたほうがいい。

私が現役時代に毎シーズン「三冠王を獲ります」と宣言していたのも、打撃タイトルを3つとも独占しようと取り組んで初めて、ひとつ、ふたつと手にできるということを、身をもって感じていたからである。

会社から「10の契約を取れ」というノルマを与えられたら、自分の目標は13～15に設定すべきだ。そして、できることなら「僕は15の契約を取りますよ」と周囲に公言するのがいいだろう。目標というものは、心に秘めているだけでは達成への底力が生まれない。わずかの差で達成できなかった時、「みんな目標を下回っているんだから」などと自分で言い訳を探して納得してしまうものだからだ。

15の契約を取ると公言し、12しか取れなかった。「おまえは口だけだな」と上司や先輩から言われれば、一番悔しいのは自分だろう。だが、心の中に浮かぶのは「みんな目標を下回っているんだから」という言い訳ではなく、「今度こそ見ていろよ」という反骨心になるはずだ。**自らの自尊心に火**

を点けるのも、目標達成の手法のひとつだと思っている。

また、達成不可能に思える目標を立てることで、今までのやり方や視点を変える必要があると気づくこともある。プライドを捨てて一から教えを乞い、基本からやり直すことで、大きな目標を達成する人もいる。

3割を打って初めて、3割をクリアすることの難しさを知る。3割という数字が、厚い壁から最低限クリアしたい基準に変わるからだ。そこまで来たら、3割の選手は3割1分を打ったことのある選手、3割3分の選手は3割4分を超えたことのある選手を見つけ、未知の世界への道案内をしてもらうのがいい。**設定する目標が高くなればなるほど、経験者のアドバイスは重要になってくる**ものだ。

数字との闘いに勝つ唯一の方法は、

「達成するのは不可能ではないか」

という目標を設定することだ。

大きな成果を得るためには、一兎だけを追え

「二兎を追うものは一兎をも得ず」

こうした諺《ことわざ》や格言は、昔の人が実体験に基づいて残したものだろう。私たちの時代は親や大人から、あるいは学校の授業でよく教えられたが、最近はあまり見聞きする場面がなくなったという印象だ。

私の場合、野球という仕事においては、二兎も三兎も追う気持ちがなければタイトル争いを制することができなかった。首位打者、本塁打王、打点王のタイトルを一度に手にする三冠王は、まさに**「三兎を追って三兎を得る」**という気構えで成し遂げたものだ。

しかし、そうやって仕事で大きな成果を上げようと取り組んだことにより、私の人生の中で犠牲に

せざるを得ないこともあった。

そのひとつが子育てである。長男・福嗣を授かったのは33歳の夏だった。自分の分身だけに可愛くて仕方がなかったが、ちょうどロッテからドラゴンズへ移籍したシーズンで、セ・リーグの野球に早く順応し、4度目の三冠王を獲ってやろうと必死に野球と向き合っていた時だった。

正確に書けば、私が子育てをしなかったというよりも、妻がさせなかった。プロ野球選手という仕事は肉体が資本ゆえ、息子を風呂に入れたりすることも負担になると考えたのだろう。事実、私は家にいる時間も野球のことを考えていたし、他の人が寝ている時間もバットを振っていた。息子に構う時間はなかったのだ。些細なことかもしれないが、今にして思えば、風呂に入れたり遊びの相手をしてやりたかった。だが、当時は私だけがそうしていたのではなく、プロ野球選手の家庭は同じような感じだったはずだ。もっと言えば、企業戦士の家庭も似たようなものだったのではないか。子育てを含む家事全般は、妻の役割という時代だった。

それから25年が過ぎる間に、社会の考え方は変わってきた。

夫婦共働きの家庭は珍しくなくなり、家事も主婦と主夫が協力する。それは時代の変化と受け止めればいいが、最近は仕事と家庭という部分だけではなく、あらゆる面で「何かに没頭する」時間が少なくなったように感じている。

プロ野球選手も、1年の3分の2は家を空けるという状況こそ変わっていないが、帰宅すればプロ野球選手から夫や父親に変わる人も増えた。

野球という仕事に打ち込みながら、家庭人としての存在も両立しているイメージだ。私から見れば、そうやって生活できているのは羨ましい。恵まれた時代になったのだ。ただ、それによって**プロとして大成するチャンスだけは逃してほしくない**と思っている。

1日、1日と生活していく中で、さまざまなことをそれなりにこなそうとすれば、どうしてもバランスを取ろうとするため、ひとつのことに深く取り組む、すなわち没頭することができない。そして、それを**一定の期間継続すると、没頭するという感性を忘れてしまう**のである。

レギュラーになれるチャンスが目の前に転がっている時は、他のすべてのことを忘れてつかみ取りに行かなければ、絶対に手にすることはできない。ビジネスマンでも同じような境遇に置かれることがあるはずだ。そこで自分の仕事に没頭できるか。それとも普段と変わらぬ取り組みでチャンスを逃すか。あるいはチャンスだということさえ見逃すか。

古臭いことを言っていると思われるかもしれないが、社会の考え方が変わっても、社会人として台頭するためのプロセスは変わっていない。そして、これからも変わらないだろう。

自分の目標を達成したり、充実した生活を送るためには、必ず一兎だけを追い続けなければならないタイミングがある。進学や資格取得のための勉強、昇進を見据えた仕事のスキルアップ、独立を目指して青写真を描く時期。それだけに没頭して首尾よくものにできれば、また新たな道も開けてくる。奥さんや子供たちと楽しむ時間も得られるだろう。だからこそ、大きな成果を得るためには、何かを犠牲にすることもあるという覚悟をしておきたい。

一流には自力でなれるが、超一流には協力者が必要

ある時、妻・信子が、知人から聞いた話が心に残ったと、私にも教えてくれた。

「一流の領域までは自分一人の力でいける。でも、超一流になろうとしたら、周りに協力者が必要になる」

なるほど、と思った。私の現役時代を振り返ってみても、正鵠《せいこく》を射た言葉である。

一流の領域をどこに定義するかにもよるが、正しい方向に努力を重ねれば、少なくとも一人前と言われるような仕事のスキルは身につけられるだろう。

私は「選手は育てるのではなく、自分で育つものだ」と繰り返し言っている。基本を教えてくれたコーチや先輩はいるにせよ、自分自身が「この世界で一人前になってやろう」という意識を強く持ち、できることを増やし、その質を高めていったからこそ一人前になれたわけだ。そう考えると、「一流には自力でなれる」というよりも**「自力があってこそ一流を目指せる」**ということになる。

プロ野球の世界でレギュラーになれば、自分の置かれた環境は変わる。試合前の打撃練習では、特定の打撃投手に投げてもらえるようになる。不調の時、早目に球場に来てたっぷり打ち込みたいと思えば、打撃投手や他のスタッフも準備をしてくれる。トレーナーにも時間をかけて体の手入れをしてもらえるなど、周りの人間が自分のために割いてくれる時間が多くなる。では、その恵まれた環境があれば誰でも超一流になれるのかといえば、やはり一流になるよりも狭き門である。大切なのは、その**恵まれた環境をどこまで活用できているか**ということだ。

私の経験を書いておこう。

三冠王を3度も獲得するようになると、監督もコーチも私の打撃には口を挟まない。春季キャンプからペナントレースに至るまで、すべてコンディションの調整は私自身に任される。もちろん、それで四番打者としての責任を果たすことができるという自負はあったのだが、それでもスランプがなくなるわけではない。

では、スランプからなるべく短い期間で抜け出すためにはどうするか。**試合前の打撃練習をする際、打撃投手や捕手に私の印象を尋ねてみるのだ。**

「今日の俺のバッティングで、何か気づいたことはない？」

私からそう尋ねても、彼らはなかなか本音を言えないものだ。打撃投手や捕手もプロ経験者だが、現役時代に残した実績は私のほうが圧倒的に上である。したがって、自分たちが三冠王の打撃に口を出せるわけがないと思っている。だが、そこは私の考えを話し、何とか本音を引き出す。次第に、私が本気で彼らの意見を必要としていることが伝わると、私の打撃をじっくりと観察し、自分なりの印象を話してくれる。

「いつもは、こちらに迫ってくるようなイメージがありますけど、今日はあまり感じませんでしたね」

スランプの入り口にいるのではないかと感じている時、やはり彼らも普段とは違う印象を持っているのである。そうした情報を試合前に得られれば、私自身の引き出しの中から対処法を見つけておくこともできる。そういう意味で、プロ野球界の**トップクラスで活躍する選手の成績には、裏方と呼ばれるスタッフの知識や経験も生かされているのである。**

レギュラーとしてプレーしている選手の多くは、高額な年俸を手にしていることもあり、自費でトレーナーと契約して体のメンテナンスに取り組んだり、遠征先などでは打撃投手らスタッフに夕食を振る舞って感謝の気持ちを表したりしている。それも大切なことだが、もう一歩踏み込み、**彼らの知識や経験を自分の仕事に活用しようという考えも必要だ。**

ビジネスの世界にも同じ部分があると思う。テレビドラマで、主人公の若きエリートビジネスマンが壁にぶち当たった時、社内では窓際族と呼ばれるベテラン社員や行きつけの居酒屋の女将さんが貴重なアドバイスをくれる、というようなストーリーがあるだろう。自分の周りにいる誰が、よき理解者となり、苦境を打破するヒントをくれるかはわからない。だからこそ、そういう存在を見つけようという目で自分の周りを見渡し、超一流になるための協力者を増やしてほしい。

30代に何をするかで、40代が決まる

私の選手起用は、若手を抜擢するよりもベテランを重用することが多いと言われている。

これには少し誤解がある。

私自身は、実力社会では年齢や年数としての経験は関係ないと思っている。とはいえ、**「俺は若いから、まだまだこの世界にいられる」と考えてプレーしている選手と、「俺はこれだけ歳を取っていて、もう先はないから悔いを残さないでやろう」と考えている選手のどちらが、ここ一番の場面で力を出すのか。**それを考えると、どうしてもベテランを起用せざるを得ない。

チャンスはあらゆるところに落ちている。

まずは、それに気がつくかどうかだ。

たとえ気がついたとしても、ただ拾いに行くのと、簡単には拾えないとわかっても諦めずに、必死に拾いに行くのとでは全然違う。

一概には言えないが、最近の若い選手には、「チャンスは何が何でも手にしてやる！」といったギラギラとした気持ちが欠けているという印象はある。

ただ、ひとつだけ言えるのは、プロ野球の世界でレギュラーになるというのは並大抵の努力では叶わないということだ。

私がドラゴンズの監督に就任してから、チーム生え抜きの選手でレギュラーの座を手にしたのは森野将彦だけである。どうしても世代交代が必要な時期ではなかったという事情もあるが、**8年間でたった一人**だ。

森野は、私が監督になった時は入団8年目の26歳だった。

昔のプロ野球界なら中堅どころだが、当時は一軍とファームを行ったり来たりしているレベルだった。それでも、柔軟なバットコントロールや器用な守備は使えると感じ、徹底的に鍛え上げた。何よりも、森野本人が「レギュラーになってやる」という気持ちを強く出したことで、２００６年にはレギュラーの指標と言える規定打席に初めて到達した。その時が28歳。そして、サードのポジションも手に入れ、2割台の打率でもスタメンから外すことのできない存在となった２０１１年、森野は33歳である。大きな故障さえなければ、40歳までは第一線でプレーできる力はあるはずだ。

ビジネスの世界も似たようなものかもしれないが、高校や大学を卒業した直後、新人の頃から自分に厳しい姿勢で成長できる若者はそう多くない。先輩や上司に叱られ、なだめられ、チャンスを与えられを繰り返しながら、**30歳になる頃までに一人前になれれば十分ではないか。**

急いては事をし損じる。

現在のドラゴンズには、27歳の野本圭と岩﨑達郎を筆頭に、26歳の堂上剛裕、大島洋平、24歳の松井佑介、23歳の平田良介、堂上直倫、福田永将ら、将来はレギュラーになってもおかしくない若手野手が何人もいる。彼らを私の一存でレギュラーに抜擢すれば、1年くらいはそこそこの成績を残してくれたかもしれない。

しかし、基礎体力に加えて、長いペナントレースを戦い抜く体力をつけてくれないと、2年、3年と実績を残していくのは難しい。だからこそ、25歳から30歳くらいの間は、しっかりとした土台を作る時期だととらえている。

せっかく若くしてレギュラーになっても、30代半ばでユニフォームを脱ぐことになったら寂しい。ならば、20代で足場を固め、30歳でレギュラーの座を手に入れ、40代まで第一線でプレーできたほうが幸せなのではないだろうか。

私が若い頃、プロ野球選手は35歳くらいまで現役を続けられれば幸せだと言われた。そういう世界なら、1年でも早くレギュラーになったほうがいい。だが、そんな世界でも野村克也さんや私は45歳までプレーした。「まだユニフォームを着るつもりか」と揶揄されても意に介さなかった。そして、45歳でボロボロになるまでプレーしたからこそ、見えてくるものがあるということを知っている。

だから、ドラゴンズに入団した選手については、25歳までは体力と技術を強化していく時期だと位置づけていた。他の球団で同い年の選手がレギュラーを取っても気にすることはない。**レギュラーになってから、その選手より長く活躍すればいい**のだから。そして、25歳あたりから実戦で起用してみると、どの選手がそれまで必死に土台を作ってきたかが手に取るようにわかった。

２０１１年のペナントレースは、そうした若手選手に出場機会が巡ってきた。

ダグアウト（ベンチ）の中で若い選手を見ていると、試合に出たくてうずうずしている感じがよくわかる。これだけ厳しいハードルを用意したにもかかわらず、よく気持ちを萎《な》えさせずにやってきたと思う。そういう段階まで、私は責任を持って彼らに伴走してきたつもりだ。これからはチームメイトとの競争にも勝った選手がレギュラーの座を手にしていくだろう。

そして、何より大切なのが、レギュラーになった30代である。

チームの勝敗を背負ってプレーし、自分の背中を後輩たちが見ているのだ。プロ野球界も主力選手の現役年数は長くなってきただけに、**30代で何をしていくのかが極めて重要だと思う**。そのためにも、20代ではしっかりした土台を築き、充実した30代にしていくべきだと考えている。

私は、41歳の谷繁元信や、39歳の和田一浩にも、心の中でこんなメッセージを投げかけている。

「俺はまだまだおまえを認めない。悔しかったら俺が辞めた45歳までやってみろ。そのために覚えること、やることはいっぱいあるぞ」

2章

勝つということ

そもそも、プロ野球における勝利とは何か。
目の前の勝ちなのか、長い目で見てなのか。
それとも「負けない」ことなのだろうか。
そして勝利のために、リーダーは何をすべきか。

「負けない努力」が勝ちにつながる

野球の試合では、

①先発投手が互いに3点以内に抑えて投げ合っているような展開を**投手戦**

②反対に両軍の打線が活発に機能し、5点以上を取り合っているような展開を**打撃戦**

と呼ぶ。

皆さんは、どちらの試合展開が好みだろうか。

私はドラゴンズの監督に就任してから、ずっと**投手力を中心とした守りの安定感で勝利を目指す戦いを続けてきた**。なぜなら、投手力はある程度の計算ができるのだが、打撃力は「水もの」と言われているように、10点を奪った翌日に1点も取れないことが珍しくないからだ。

どんな強打者を集めても、何試合も続けて打ち勝っていくことは至難の業である。だからこそ、優勝への近道として投手力を押し出した戦いをしていく。

打者出身の私の考えとしては意外に思うかもしれないが、これは私の好みではなく、**勝つための選択なのだ。**

ただ、投手力を前面に押し出すとはいっても、肝心なのは投手力と攻撃力の歯車がいかに噛み合うかということ。すなわち、投手陣と野手陣に相互信頼がなければならない。いくら投手が1点も取らないようないいピッチングをしても、打者が一人も打たなければ勝ちはない。その逆もしかり。

では、投手陣と野手陣の相互信頼はどうやって築いていくものだろうか。

監督になったつもりで考えてほしい。0対1の悔しい敗戦が3試合も続いた。ファンもメディアも「打てる選手がいない」と打線の低調ぶりを嘆いている。この状況から抜け出そうと、チームでミーティングをすることになった。監督であるあなたは、誰にどんなアドバイスをするか。

恐らく多くの方は、打撃コーチやスコアラーの分析結果も踏まえて、3試合で1点も取れない野手陣に効果的なアドバイスをしようと考えるだろう。技術的な問題点を指摘するか、「気合いを入れよう」と精神面に訴えるか。ソフトに語りかけるか、檄《げき》を飛ばすか。コミュニケートする方法も慎重に考えながら、何とか野手陣の奮起を促そうとするのではないか。

つまり、「0対1」の「0」を改善するという考え方だ。

私は違う。投手陣を集め、こう言うだろう。

「打線が援護できないのに、なぜ点を取られるんだ。おまえたちが0点に抑えてくれれば、打てなくても0対0の引き分けになる。**勝てない時は負けない努力をするんだ**」

プロ野球界では、先発投手が6、7回を3点以内に抑えれば「仕事をした」と言われる。つまり、3失点以内で負ければ「打線が仕事をしていない」、3点以上奪っても負けると「投手が仕事をしていない」ということになる。投手戦、打撃戦の区別もここから来ているのかもしれない。

待ってほしい。

勝負事も含めた仕事というのは〝生き物〟だ。経験に基づいたセオリーは尊重するとしても、一歩先では何が起こるか本当にわからない。

ならば、打線が3点取れなくても勝てる道を見つけ、10点奪ったのに逆転負けしてしまうような展開だけは絶対に避けなければいけない。そうなると、「3失点以内なら投手は仕事をした」という考え方はできないと思う。投手には、あくまで打線の調子を踏まえた上で〝勝てる仕事〟をしてもらいたい。

繰り返すが、**試合は「1点を守り抜くか、相手を『0』にすれば、負けない」のだ。**

また、得点できない野手を集めてミーティングをすると、呼ばれなかった投手陣は「俺たちは仕事をしているんだ」という気持ちになり、チームとしての敗戦を正面から受け止めなくなる。このあと、再び同じような状況になっても、「悪いのは野手陣だろう」と考えてしまい、ここから投手陣と野手陣の相互信頼が失われていくものだ。

スポーツ紙を読むと、3失点で完投しながら打線が2点しか奪えなかった、つまり「2対3」で負けた試合で、その投手がこうコメントしているのを目にするはずだ。

「負けたのは悔しいですが、自分の仕事はできたと思っています。次も頑張ります」

私はその記事にポツリとつぶやく。

「先発投手が黒星を喫したら、仕事をしたことにはならないだろうに」

そもそも、**チームスポーツで「仕事をした」と言えるのは、チームが勝った時だけである。**20対19という大乱戦でも、この試合に先発し、5回を10失点で白星を得た投手は、内容は最悪だが仕事はしているのである。しかし、0対1で完投しながら負けた投手は、厳しいようだが仕事をできていないのだ。

一般社会において、あと一歩で契約を取れなかった社員が**「自分の仕事はしました」と胸を張るだろうか。**前回からの成長ぶり、その仕事にベストを尽くせたかどうかの評価は別の次元の話であり、契約を取れなければ仕事をしたとは言えない。それと同じことだ。

私のように考えると、さぞかしドラゴンズの投手陣は大変だったろうと思われるだろう。仕方がない。野球の勝敗の80％は投手が握っていると言われるように、投手は守りの中で唯一、ボールを投げることで「攻撃できる」役割なのだし、投手が投げることで試合が動くという性質上、野手はどうしても受け身の立場だからだ。

しかも、投手が自分の手でボールを投げられるのに対して、野手はバットという道具を使って打ち返さなければならない。自分のコンディションに加え、バットも上手く使いこなせなければ結果を残せないのだから、チームで勝つという唯一最大の目標を達成するためには、**パフォーマンスをある程度計算できる、投手を中心に試合運びを考えざるを得ない。**

ここでも大事なのは、原則だ。

負けない努力が勝ちにつながる。この考えだ。

その1勝をつかむために、誰を信頼し、誰を中心に戦っていくのか。ここがブレてしまっては、チームワークも、選手の目指す方向性もおかしくなってしまう。これは皆さんの仕事でも同じだと思う。とりわけ厳しい時代においては、この考えはしっくりくるのではないだろうか。

チームスポーツで
「仕事をした」と言えるのは、
チームが勝った時だけである。

何でもアメリカ流でいいのか

アメリカでは、「12対2」と10点差がつくなど一方的なゲーム展開になっている時、リードしているチームの選手が盗塁をしようものなら、「死者に鞭を打つ行為」と見なされ非難を受け、公式記録にも盗塁は記録されない。

セーフティバントも、同じようなとらえ方をされている。つまり「ほぼ勝ちが見えているほうが、小技でさらに得点を稼ごうとするな、死者に鞭打つな」という考え。これは、アメリカ野球が発展する中で生まれた暗黙の了解である。

では、日本の野球はどうか。

日本では、勝負事は「ゲームセット」がコールされるまで何が起きるかわからないと考える。

ゆえに、**最後の場面まで全力でプレーすることが求められてきた。**「12対2」の時もそうだ。大量リードの場面での盗塁も、もちろん全力プレーのひとつである。

事実、2010年6月2日の対オリックス・バファローズ戦では、7対0とドラゴンズ「大量」リードだったにもかかわらず、8回裏だけで同点にされ、延長11回でサヨナラ負けしている。

ところが最近は、日本のプロ野球もアメリカ流になってしまっている。

2010年6月10日の東北楽天ゴールデンイーグルス戦、6対0とドラゴンズがリードしていた8回表に、大島洋平が二死走者なしの場面でセーフティバントを試みた。これが内野安打に。すると、東北楽天の投手が次打者の森野将彦に対し、死球にこそならなかったものの、腰のあたりを目がけた速球を投げ込んだのだ。つまり、大差で勝っている時に小技を使った大島に対し、東北楽天側が「それは（アメリカ野球的には）ないだろう」と軽くけん制する意味で、次の打者に対し、死球に近い球を投げ込んだのだ。当時の東北楽天の監督はマーティ・ブラウンだった。

アメリカ人のブラウンが激怒していたというのは、「アメリカ野球的に言えば」理解できなくもない。だが、日本人の指導者や選手、あるいはメディアにも、大島のプレーを「いかがなものか」と考える人間が増えたのだ。

これにはひと言言いたい。

当時の大島は新人で、何とかレギュラーを奪おうと必死にプレーしていた。**試合展開とは関係なく、**

1本でも多くのヒットを打ちたいと工夫した結果の、セーフティバントだった。しかも、勝負は最後までわからない、いくら大量リードの場面でも試合がひっくり返されることがある。ほんの8日前にそういう経験をしていたのだ。

「アメリカ的な感覚」で大島を責める権利など誰にもないはずだ。

ここで少し、野球の歴史について話したい。

アメリカでメジャー・リーグの基礎となるナショナル・リーグが発足したのが1876年、それから60年後の1936年に、現在の日本のプロ野球の前身となる日本職業野球連盟が設立されている。

この時から現在に至るまで、日本プロ野球はメジャー・リーグの背中をずっと追いかけている。

野球規則に始まり、2リーグ制、日本シリーズ、オールスターゲーム、指名打者制、ドラフト制度、フリーエージェント、先発・中継ぎ・抑えという投手の分業制など、アメリカで誕生したものが、何年かして日本に入ってくる。

独自の進化を遂げ、日本のプロ野球スタイルを創り上げてきた日本だが、アメリカの影響を受け続けていることも事実である。

こういう流れの中で、私が気になっていることがある。日本で築き上げたスタイルや独自の進化した部分を無視して、最近は、感覚的なものまでアメリカ流になっていることだ。

先ほどの盗塁の話で言えば、2008年から日本のプロ野球も、勝敗に関係ないと思われる場面での盗塁は記録されないことになった。

勝敗に関係ないかどうかは公式記録員が判断するというが、どうして勝敗に関係ないかどうかがわかるのだろう。勝敗とは、そもそも最後の最後までわからないものだ。

このように、感覚的な部分までアメリカ流になったのは、**影響を受けたというよりも「感化された」と言ったほうがいいかもしれない。**大きな原因は多くの日本人選手がプレーするようになったことで、メジャー・リーグの試合が頻繁にテレビ放送されるようになったことだろう。

メジャー・リーグを楽しむのは自由だし、他の国の文化に触れるのはいいことだ。しかし、だからと言って、感覚的な部分までアメリカ流になるのはどうか。日本プロ野球が歴史の中で育んできたものはどうなるのか。

アメリカに感化されているといえば、日米通算記録もそうだ。メジャー・リーグの記録はメジャー・リーグ独自のものだし、日本も同じだ。それを通算して何の意味があるのか。また、プロ選手としての記録だからというのであれば、なぜ韓国や台湾のプロ・リーグで残した記録は通算されないのか。もし「世界のスポーツとして」と言うのであれば、アメリカだけというのはおかしいだろう。

話が色々なところに飛んでいきそうだが、私が強く言いたいのは「日本独自の考え方や歴史をもっと大切にすべきではないか」ということだ。郷に入れば郷に従え、ここは日本だ。私たちの強みやすべきことを忘れてはいけないと思う。

采配は結果論。事実だけが歴史に残る

私の采配について何かを論じようとする時、必ずと言っていいほど出てくるのが2007年の北海道日本ハムとの日本シリーズ第5戦のことだ。8回まで一人の走者も出していない先発の山井大介を、9回に岩瀬仁紀に交代させた采配に関して、である。

メディアなどでは「幻の（山井の）完全試合」「山井交代の賛否」などと騒がれた。

結論から言えば、私は今でもこの**自分の采配を「正しかったか」それとも「間違っていたか」という物差しで考えたことがない。**ただあるのは、**あの場面で最善と思える決断をした**ということだけである。

中日ドラゴンズは、1954年に西鉄ライオンズとの日本シリーズに勝って以来、日本一から遠ざかっていた。私が監督に就任した2004年は50年ぶりの日本一を唯一最大の目標に掲げ、セ・リーグのペナントレースでは優勝することができたが、西武ライオンズとの日本シリーズには3勝4敗。悲願の日本一に辿り着くことはできなかった。2006年にもセ・リーグを制したが、北海道日本ハムファイターズとの日本シリーズは1勝4敗。

当時のドラゴンズにとっては、選手の実力、チーム力が云々という以前に、日本一という扉が重くのしかかっていたのである。

2007年はセ・リーグで2位に甘んじたものの、この年から導入されたクライマックス・シリーズを勝ち抜き、2年連続で日本シリーズへ進出することができた。相手は前年に続き、またしてもファイターズだ。

私の中にあったのは、何としてでも日本一を勝ち取ろうという思いだけだった。

札幌での第1戦には1対3で敗れたものの、第2戦を8対1で取り返し、舞台を本拠地・ナゴヤドームに移した第3戦にも9対1で勝利を上げた。続く第4戦に4対2で勝ち、いよいよ日本一に王手をかけたのである。

そうした流れで迎えた第5戦だった。

第5戦で山井を先発させると、2回裏に平田良介の犠牲フライで1点を先制した。山井は初回からしっかりした投球で、ファイターズ打線を沈黙させていた。もちろん、山井が一人の走者も許していないことを知っていた私は、「どこまで完璧な投球を続けるかな」という心境で見守っているのと同時に、この試合に勝つためのプランをあれこれと考えていた。なぜなら、この日本シリーズの流れを冷静に見ていった時、**もしこの試合に負けるようなことがあれば、札幌に戻った2試合も落としてしまう可能性が大きい**と感じていたからだ。

そんな中、山井は4回に右手中指のマメが破れ、血が噴き出しながら渾身の投球を続けていた。その報告を受けていた森繁和コーチは、記録とは別に祈るような気持ちで山井の投球を見ていただろう。

8回も3者凡退で切り抜け、いよいよ「日本シリーズ史上初の完全試合まであと3人」という状況になった時、私はダグアウトの裏で最後の守りをどうするか思案していた。そこに、森コーチがやって来てこう言った。

「山井がもう投げられないと言っています」

山井にしてみれば、マメが潰れたからといって先発投手が5回や6回で降板を申し出てしまっては、リリーフ投手にも過度の負担がかかってしまう。自分の責任として8回まで投げ切れば、9回は岩瀬に託せるという気持ちがあったのではないか。私は即座に「岩瀬で行こう」と森コーチに告げた。

プロ野球OBの立場で言えば、多くのファンと同じように、**私も山井の完全試合を見たかった。**

記録やタイトルが選手を大きく成長させることも身をもって知っているだけに、「せめて3、4点取っていれば、山井の記録にかけられるのに」と思ったのも事実だ。

しかし、私はドラゴンズの監督である。

そこで**最優先しなければならないのは、「53年ぶりの日本一」という重い扉を開くための最善の策**だった。あの時の心境を振り返ると、「山井は残念だった」というよりも、「ここで投げろと言われた岩瀬はキツいだろうな」というものだったと思う。

果たして、岩瀬は逃げ出したくなるような場面を3者凡退に抑え、ドラゴンズはついに53年ぶりの日本一を達成したのである。

この采配については、直後からさまざまな意見がメディアを賑わせた。

私の采配を支持した人には日本シリーズを制した監督が多いな、ということ以外、メディアや世間の反応については、どんな感想を抱くこともなかった。

どんな局面でも、采配というものは結果論で語られることが多い。

事実、あの采配も、万が一負けていたら、それこそ私は袋叩きに遭っていただろう。いや、違った采配をした結果を現実として見られない以上、結果論でしか語れないという側面が大きい。監督が私でなかったら、山井の完全試合で日本一になれたのかもしれない。あるいは、山井が打たれて逆転され、私が懸念したように札幌でも敗れて日本一を逃したのかもしれない。

しかし――。

すべては、あの場面で私が監督として決断し、その結果として「ドラゴンズは日本一になった」という**事実だけが歴史に残る**のだ。

責任ある立場の人間が下す決断――采配の是非は、それがもたらした結果とともに、歴史が評価してくれるのではないか。ならばその場面に立ち会った者は、この**瞬間に最善と思える決断をするしかない**。そこがブレてはいけないのだと思う。

「こんな判断をしたら、周りから何と言われるだろう」

そうした邪念を振り払い、今、この一瞬に最善を尽くす。

監督の采配とは、ひと言で言えば、そういうものだと思う。

邪念を振り払い、
今、この一瞬に最善を尽くす。
監督の采配とは、ひと言で言えば、
そういうものだと思う。

「勝利の方程式」よりも「勝負の方程式」

現役時代から感じていることなのだが、プロ野球解説者の中には、**予言者のようなことを口にする人がいる。**

「あの場面で強攻策に出たのが敗因ですね。バントで確実に送っておけば逆転できたのに」

強攻策が敗因という部分までは専門家の分析と言えるが、なぜ「バントで送っておけば逆転できた」という未来のことまでわかるのだろう。そして、そういう人に限って「勝利の方程式」などという表現を用いて戦術を語ることが多い。勝利の方程式とはつまり、絶対に勝てる方法なのだろう。

ちなみに、私は現役時代に『勝負の方程式』というタイトルの本を著した。

内容を簡単に説明すると、私のグラウンドでの経験をもとに、「こうすれば相手は嫌がる」、「こんな取り組みをして失敗した」というように、**勝負を少しでも優位に戦っていくための原則論**をまとめたものだ。

勝負事において、勝利を引き寄せるための手順には、ある意味での方程式は立てられると思う。ビジネスの世界でも、成果を上げやすくしていくためのマニュアルはあるはずだ。しかし、「こうすれば絶対に勝てる」、「こうすれば絶対に売れる」という勝利の方程式はあるのだろうか。

プロ野球の世界では、過去に「こうすれば絶対に打てる」と断言して指導をした人がいた。これは決して皮肉ではなく、その人は「絶対に打てるスイング」を本当に身につけたのではないかと思っている。だから、他の選手にもできると考えて伝授しようとするのだ。現役時代の私も、そうした完璧なスイングはできないものかと20年間にわたって試行錯誤し続けた。もし身につけられたら、ストライクゾーンに来るボールは絶対に空振りしないはずだと思っていたが、残念ながら見つけることができなかった。

同じように、監督としての私も、ペナントレースの144試合に全勝できるチーム作りを最大の目標にする。

現実には不可能と言ってもいい目標だが、**あくまで理想はパーフェクトなものを描き、それに一歩でも近づいていけるよう、現実的な考え方で戦っていく。**もちろん、絶対に勝てる戦い方も、私はまだ見つけていない。だから、一つひとつの場面で最善と思える策を講じていく。

現在のドラゴンズでは、先発投手が7回までリードを保って投げてくれれば、8回を浅尾拓也に任せ、9回に岩瀬仁紀を投入して白星を手にするケースが多い。ファンやメディアの間では、これを「勝利の方程式」と呼ぶようである。だから、ある試合で9回に岩瀬ではなく浅尾を起用すると、「岩瀬に何かあったのか」とか「ストッパーを岩瀬から浅尾に代えるのか」と騒ぎ立てる。

だが、先発投手から浅尾、岩瀬という継投を、私は勝利に近づくための最善策としかとらえていない。ゆえに、試合の流れや岩瀬の状態を考慮して、9回に浅尾を使うこともあれば、この二人が出てくるだろうという場面で他の投手を使うこともある。岩瀬や浅尾という投手への信頼感とは別の次元で、私は「岩瀬を出せば勝てる」と思ったことは一度もない。岩瀬に対して「抑えてくれよ」とは思っているが、一方で頭の中では岩瀬が打たれた場合の戦い方も、シミュレーションしている。岩瀬を信頼していないという意味ではない。**勝負には何があるかわからないからだ。**

このように、監督にはさまざまな考え方、戦い方があり、そのどれが正しいのか結論は出ていない。恐らく結論が出ることはないだろう。「勝利の方程式」を信じる監督が日本一を勝ち取ったこともあると思う。ただ、岩瀬のような実績のあるストッパーが打たれて逆転負けした試合をどうとらえるか。そこを見ていくと、面白いことが浮び上がってくる。

私は、件の試合後にこんなことを言っているだろう。

「岩瀬で負けたら仕方がない。岩瀬だって打たれることはある」

つまり、**こちらは最善と思える策を講じても、相手が上回るということはあるのだ。**

では、「勝利の方程式」を信じて戦う監督は何と言うか。

「まさか、あの場面で岩瀬が打たれるとは……」

方程式とは、きっちり答えが出るはずのものなのに、「まさか」というあやふやな条件でいとも簡単に崩れてしまう。日本一を目指して戦うのなら、私は「まさか」で黒星を喫したくない。

勝負に絶対はない。しかし、「勝負の方程式」を駆使して最善の策を講じていけば、仮に負けても次に勝つ道筋が見える。そう考え、戦ってきたのだ。

勝負に絶対はない。
しかし、最善の策を講じていけば、
仮に負けても
次に勝つ道筋が見える。

「今一番大事なことは何か」を見誤るな

リーグ優勝したチームの監督は、翌年のオールスターゲームで監督を務めることになっている。私は2005年、2007年に続いて、2011年もオール・セントラルを指揮した。

オールスターゲームというのは、プロ野球界がセ・リーグとパ・リーグに分立したのを契機に、1951年から開催されている。かつては、テレビ中継が巨人を中心にしたセ・リーグばかりだったので、パ・リーグの選手は自分の顔を売る機会とばかりにハッスルした。そういう経緯でパ・リーグが対戦成績で上回っていたため、「人気のセ、実力のパ」と言われるようになった。近年ではセ・リーグも盛り返し、2011年現在の対戦成績はパ・リーグの77勝71敗9引分である。

60年を超える歩みの中で、オールスターゲームの存在意義も変わってきた。

そもそも、セとパのチームは公式戦で戦うことがなかったため、セのエース級投手とパの強打者、あるいはその逆の顔合わせが「夢の対戦」という価値を持っていた。ところが、2005年からセ・パ交流戦が実施されている。リーグを越えた対戦が公式戦で実現している以上、オールスターゲームは何を求められているか、という点についても議論すべき時期に来ていると思う。

こうした状況の中、2011年は選手年金の財源確保などの目的で、当初の2試合から3試合に増えることになった。ナゴヤドーム、千葉のQVCマリンフィールド、東京ドームが開催地となっていたが、東日本大震災の後、復興の一助になればと東京ドーム分が仙台のクリネックススタジアム宮城に振り替えられた。各チームは7月20日まで公式戦をこなし、21日が休養日。22〜24日にオールスターゲームが開催され、25日の休養日を挟んで翌26日から公式戦が再開される。ドラゴンズを例にすると、20日は巨人と新潟でナイトゲーム、26日は甲子園で阪神戦が組まれており、現地への移動を考えれば実質的に休養日はない。

このスケジュールを見れば、**オール・セントラルを預かる私の立場で最優先に考えなければならないのは、出場選手のコンディションである。**

公式戦とオールスターゲームのどちらが大切かという次元ではなく、選手はリーグ優勝を目指してプレーするのが本分であり、オールスターゲームは実力や人気を認められたことへの返礼とでも表現すればいいか。とにかく、私が第一にすべきことは、**出場選手をケガや故障させずに各チームへ返すこと**なのだ。

そのため、試合数が増えた時点で、日本野球機構には選出する選手数を通常より増やしてほしいと申し入れてきたし、監督推薦する選手については、各チームの監督と十分に話し合いをした。その結果、監督推薦した投手の大半はリリーバーということになった。

オールスターの意義はリーグを代表する選手による〝夢の球宴〟なのだから、投手も各チームのエース級が顔を揃えるのが望ましいのだろう。最近はストッパーを筆頭にリリーフ投手の存在感も強くなり、ファン投票の投手部門も先発、中継ぎ、抑えと分けられるようになった。それでも、先発投手が中継ぎや抑えとしてマウンドに登るかもしれないのがオールスターの醍醐味だと言える。そのことは十分に理解しているが、このスケジュールで各チームの先発投手を選出するのは無理だと判断した。

20日に先発し、オールスター明けの26日にも先発する投手は、休養日となる5日間に、たとえ1イニングでも投げさせるのは酷だろう。ならば16日あたりに先発し、しっかり休養を取れている先発投手を選べばいいかと考えたが、その投手が20日の試合にリリーフ登板しないとも限らない。第一、そうした各チームの投手事情を、普段は敵味方で戦っている私が聞くわけにはいかない。しかも、監督推薦の選手を発表するのは3週間前である。

このような事情を考慮すると、各チームの監督が許可してくれた先発投手を除けば、毎日のように登板しているリリーフ投手を選出するしかない。それが、前半戦好調だった先発投手の多くを選出したパ・リーグとは対照的だったこともあるのだろう、〝落合流の選考〟なのだと言われる。

私の選考が何流でも構わないが、プロ野球界にとって**一番の財産は選手である**。選手になるべく負担をかけず、しかもファンの喜ぶ試合をしたいのであれば、選手選考の時期も再考する必要があると考えている。

社会や組織には本音と建前がある。

ただし、**「今一番大事なことは何か」という点だけは見誤ることなく、そこには最善の手を打たなければならないだろう。**プロ野球のシーズン、選手たちの活躍、「長いスパンで野球を楽しめるかどうか」を考えた上での「今」なのだ。

最後に、2011年のオールスターゲームは、プロ野球が東日本大震災の復興の一助になればという思いも込めて開催した。それで東京ドームを仙台に振り替え、千葉、宮城という被災地を選手たちが訪れたのはいいことだ。しかし、本気で復興の一助になろうとするのなら、2012年以降も岩手、福島、茨城でオールスターゲームを開催していくべきだ。幸い、実現の方向で調整されると聞いたが、それこそが、「今一番大事なことは何か」をしっかり見据えることなのだと思う。復興もまた、長い道のりなのだから。

すべての仕事は契約を優先する

ワールド・ベースボール・クラシック（ＷＢＣ）という大会で、日本が２００６、２００９年と連覇を果たしているのは、ご存知の方も多いだろう。

一部のメディアで報じられたが、私は２００９年の第２回大会に臨む日本代表の監督を要請され、お断りした。

その後、巨人の原辰徳監督が日本代表監督に就任すると、選手選考の際にドラゴンズの選手が全員、代表入りを辞退したことが大きな批判を浴びた。

日の丸を胸につけ、世界を相手に戦う栄誉を辞退した私が、選手の派遣にも難色を示しているのではないかと推測するメディアもあったようだ。

この批判は、2009年のペナントレースが終わるまでついてまわった。

なぜ、私やドラゴンズの選手が批判されなければならなかったのか。正直言って、今でもその理由が理解できない。

そもそも私は、中日ドラゴンズという球団と契約している身分だ。

その契約書には「チームを優勝させるために全力を尽くす」という主旨の一文がある。

ワールド・ベースボール・クラシックが開催される3月は、ペナントレースの開幕を控えてオープン戦をこなしている時期だ。そんな大切な時に、私は「契約している仕事」を勝手に放り出すわけにはいかない。

現役監督に日本代表の指揮を任せたいのなら、日本野球機構と12球団のオーナーが一堂に会して議論すべきだろう。そこで私に監督を任せようと決まり、球団オーナーを通じて要請されれば、私には断る理由がない。契約をした側からの要請なのだからノーという選択肢はないのだ。

これは日本の社会のよくない部分だ。「国のため」、「世界一になるため」などという**大義名分があると、組織図や契約を曖昧にして物事を決めようとする。**

このことは選手も同じだ。実は、私はオリンピックやワールド・ベースボール・クラシックに臨む際の選手選考でも、ひとつの提案をした。それは、12球団に在籍する全選手に対して、国際大会に「出場したい」、「出場したくない」の二者択一のアンケートを取り、「出場したい」と回答した選手の中から代表を選考してほしいというものだ。

なぜなら、「出場したくない」と表明した選手に対して、「辞退するなら然るべき理由を述べよ」と言うのはおかしいからだ。これには大きな理由がある。


そもそも選手とは何者か。

選手とは、球団と契約している個人事業主であり、契約書には明記されていない仕事をする場合には本人の意思が第一に尊重されるべきなのだ。

日本代表に選出されるような、いわゆる「活躍している選手」は、体のどこかに痛みや故障を抱えながらプレーしている。

中には、そうしたコンディションを自軍の監督にも打ち明けずに戦っている選手もいるのだ。つまり**選手のコンディションとは、言わば一事業主にとって〝企業秘密〟なのである。**それを、一方的に日本代表候補に選出され、「辞退するなら理由を述べよ」と言われても、「実は腰を痛めているので」と正直に答えるわけにはいかない。だからこそ、「出場したい」と意思表示した選手の中から選考していけばいいだろう。

当然のことながら、こうした国際大会に積極的に出場したいという選手も数多くいると思う。メジャー・リーグを目指している選手にとっては、絶好のデモンストレーションの場になるからだ。これも選手＝個人事業主と考えれば、容易に想像がつくことだろう。

勝てるかどうかは別の問題として、日本代表は「出場したい」という選手だけで十分に編成することができるのである。それなのに、ペナントレースの準備をしたいという選手まで連れていくのはなぜなのか。**プロ野球は契約社会でありながら、肝心な場面でその契約が二の次に考えられていることに違和感を覚える。**

今だから書けるが、岩瀬仁紀は2004年のアテネ・オリンピック、2008年の北京オリンピックで日本代表入りした。ペナントレース中にもかかわらず、日本を代表する投手として出場要請を受け、自らの意思で参加した。ところが北京でメダルを逃して帰国すると、球団には電話がひっきりなしにかかってきた。中には彼の命の危険さえ感じるほど物騒なものもあった。その後、スタンドからの野次にも聞き捨てられないものが出てきたので、球場に警察を呼んだことまであった。

そういう経験をした選手が、「もう国際大会は勘弁してください」と言ってきたら、監督として「日の丸を背負えるのだから行ってこい」とは口が裂けても言えない。

このように、選手たちにはコンディション以外でもさまざまな事情がある。

妊娠している奥さんが臨月だから、なるべくそばにいてやりたい。エコノミー症候群などが心配なので、長い時間は飛行機に乗りたくない。それらも、ペナントレースを戦うことが仕事のプロ野球選手にとっては、「日本代表を辞退する正当な理由」になると思う。

周囲の空気を読んで行動したり、誰かの求めに精一杯応じようとするのは、人として大切なことである。そのことは否定しない。むしろ強く同意する。

しかし、**仕事の場面においては、契約はすべてに優先する。**

日本の社会には白でも黒でもない、グレーな部分が多い。グレーな部分が必要な場合もあるのだが、**行動を起こす際には、「自分はどこと契約しているのか」「自分の仕事は何なのか」をしっかり見据え、優先しなければならない。**

仕事の場面においては、
契約はすべてに優先する。

大切なのは、勝ち負けよりも勝利へのプロセス

ここ数年、「勝ち組」、「負け組」という表現が使われるようになった。

では、どうすれば勝ち組になり、どういう人が負け組なのだろうか。都内の一等地に自宅を構えたり、毎日のように豪華な食事をしていれば勝ち組か。そうではないだろう。個人的には、「勝ち組」、「負け組」という言葉が簡単に使われていることが好きではない。

20歳の頃、野球部を退部して大学も中途退学した私には、将来の夢も目標もなかった。成人したのだから、何らかの職には就かなければならないだろうと、漠然と考えていたのだけは記憶にある。そんな私が、恩師の伝手《つて》によって東芝府中で野球を続けられることになり、5年後にはロッテからドラ

フト指名を受けてプロ野球選手になった。高校、大学、あるいは社会人と段階を踏んで野球の技術を磨いてきた者だけが到達できる世界に、私はまったく異なるルートで飛び込んでしまった、いわば〝アウトロー〟だ。

プロ野球は実力社会だと言われているが、アマチュア時代に注目を集めた選手、ドラフト1位で入団した選手が、他の選手よりも大切にされることはある。

強豪校、名門校の出身ならば先輩も多く、そのつながりが現役引退後の強みになることも事実だ。しかし、そうした看板を何ひとつ持っていなかった私でも、プロ野球界で生きていくことができた。誰も成し遂げていない三冠王3回という実績がものをいう場面も多い。だが、それだけではない。多くの人の協力があり、私という個性を評価してくれる人がいたからこそ、監督を務めることもできたのである。

監督としてドラゴンズをリーグ優勝や日本一に導いた。野球殿堂にも入った。本当に充実した野球人生だ。**しかし、それだけで自分が人生の成功者だとは思っていない。**

プロ野球選手という仕事は、目立つ実績を残した者よりも、何の実績も残せずに消えていった者のほうが圧倒的に多い。それでも、違う世界で名を成した人は大勢いる。その人に向かって「プロ野球の負け組」と言う人がいるだろうか。むしろ、当の本人がプロ野球選手として大成しなかったという事実を上手く利用し、悔しさをバネに、世の中を渡っている「勝ち組」ではないだろうか。

人生はどこでチャンスが訪れたり、自分を生かせる仕事と巡り合えるかわからない。そう考えれば、仕事で思い通りの実績を上げられなかったり、希望の職種ではなかなか採用してくれる企業がなかったり、志望校に合格できず浪人している人たちも、決して「負け組」ではなく、**勝利を目指す道の途中にいる人**だと考えられる。

ただ、そこで自分が苦しい立場にあることを社会や他人の責任と考えているようでは、せっかく道は勝利につながっているのに、行き先を見誤ってしまうことになりかねない。

また、世間一般で言われている名門大学を卒業し、一流企業でバリバリ仕事をしているビジネスマンも、勝利を目指す道を歩んでいると言っていいだろう。それでも、仕事の内容に不満を抱いたり、将来は出世できるのかと不安になったりしている人もいるはずだ。しかし、自分には合わないと思える仕事が貴重な経験になることもある。肩書きの上では出世をしていなくても、組織にとってなくてはならない存在になることはいくらでもできる。

つまり、**道の先にある「勝利」の定義とは、人それぞれなのだ。**

もっと言えば、「勝利」の正体が何なのか、すべてわかった上で突き進んでいる人などいないのだと思う。だからこそ、大切なのは現時点の自分が「勝ち組」なのか「負け組」なのかと自覚することではなく、ただひたすら勝利を目指していくこと。そのプロセスが人生というものなのだろう。

ドラゴンズのスローガンは、私が監督を務めた8年間、ずっと『ROAD TO VICTORY』のままであった。

勝利（栄光）への道——。

毎年のように新たなスローガンを掲げる球団が多い中、このスローガンを一度も変えなかった。それは、リーグ優勝して日本一も勝ち取るという最大の目標を手にしていなかったから。また、私たちの仕事は、常に勝利を目指す道の途中にいるからだ。

ただひたすら
勝利を目指していくこと。
そのプロセスが
人生というものなのだろう。

3章

どうやって才能を育て、伸ばすのか

自立型人間になるまでは、
ある程度リーダーがメンバーを育成する必要がある。
選手だけではない。コーチやスタッフも含め、
彼らの才能を、どう見つけ、伸ばすのか。

ミスは叱らない。だが手抜きは叱る

野球というスポーツは、打者なら打率3割をクリアすれば一流だと言われる。

考えてみてほしい。**3割台の打率とは、10回打席に立って6、7回は凡打に打ち取られている**ということだ。一流と呼ばれる選手ですら、ミスすることのほうが遥かに多い。もちろん、選手にしてみればどの打席も「ヒットを打とう」としているのだが、それでも自分が思い描くバッティングをすることは簡単ではない。野球にミスはつきものなのだ。

一般社会で、3割の確率で結果を残せば一流と言われる仕事はあるのだろうか。航空機のパイロットや困難な手術をする外科医が、3割の確率でしか自分の仕事を遂行できなかったら大問題だ。一方、食品などのマーケティング部門の人たちや何かの商品やサービスの営業マンからいえば、3割当たればヒットメーカー、トップセールスと言われるのかもしれない。

話を戻そう。野球は3割台の結果を上手くつなぎ合わせ、チームとして相手よりも1点多く取れば白星は得られる。その采配を振るのは監督だから、**選手はミスを恐れずにプレーすることが求められる。**

ここで考えなければならないのは、ミスをする原因だ。

大きな原因のひとつが、自分の能力を超えたプレーをしようとしてしまうことだろう。多くのファンの前でグラウンドに立てば、ある種の興奮状態になり、活躍したいという欲も芽生える。だが、普段の練習でできないことは、どんなに頑張っても実戦ではできない。ゆえに、レギュラーになって活躍したいと思うなら、

①できないことをできるようになるまで努力し
②できるようになったら、その確率を高める工夫をし
③高い確率でできることは、その質をさらに高めていく

この段階を踏まなければならない。

だから、私は②の段階にある選手を起用する際に、③をクリアしたレギュラーと同じようにやってほしいとは思っていない。むしろ、何とか②のレベルをしっかりこなしてほしいと考えている。実は、②の段階の選手が②のレベルのプレーをそつなくこなすこと、すなわち「自分のできることをしっか

りやること」ですら、高い緊張感を伴うグラウンドの上では簡単ではないのだ。

こうした理由により、私は若い選手にありがちな「ミス」を責めない。ただ、ミスの原因は冷静に分析し、次に同じようなミスを繰り返さないよう仕向けていく。

また、ミスをした選手で一番怖いのは、同じミスを繰り返さないようにと思いすぎて無難なプレーしかしなくなってしまうことだ。

外野手が、浅いフライを何とかキャッチしようと猛然と前進し、最後はスライディングキャッチを試みたものの、あと一歩届かずに打球を後逸したとする。それで打者走者は三塁まで進み、そこから喫した失点で試合に敗れれば、選手は大いに反省するだろう。その場合は、主に次の点が反省材料となる。

①その打球は、そもそも自分の守備力で捕れそうなものだったのか（自分の能力以上のプレーをしようとしていなかったか）

②スライディングキャッチという選択は正しかったのか（打球処理の選択は正しかったのか）

③試合の展開を踏まえ、後逸というリスクの伴うプレーは必要だったか（状況判断はできていたのか）

これらを省みることなく、次に同じような打球が飛んできた時、安全にワンバウンドで捕球するようなプレーをしたら、私はその選手をファームに落とす。**何も反省せずに失敗を繰り返すことは論外だが、失敗を引きずって無難なプレーしかしなくなることも成長の妨げになるのだ。**

ミスそのもの、またミスをどう反省したかが間違っていなければ、私は選手を叱ることはない。その選手の自己成長を「見ているだけ」だ。では、私が選手を叱るのはどういう場面か。

それは「手抜き」によるミスをした、つまり、**自分のできることをやらなかった時である。**打者が打てなかった、投手が打たれてしまったということではない。投手が走者の動きをケアせずに盗塁された。捕手が意図の感じられないリードをした。野手がカバーリングを怠った。試合の勝敗とは直接関係なくても、できることをやらなかった時は、コーチや他の選手もいる前で叱責する。だから、私に叱られるのはレギュラークラスの選手のほうが圧倒的に多い。

一般社会に置き換えれば、取引先との約束の時間に遅れる。必要な連絡をしなかった。そういうことになるのではないか。一人の「ミス」は自分で取り返せることもあるし、チームメイトがフォローしてやることもできる。しかし、**注意しなければ気づかないような小さなものでも、「手抜き」を放置するとチームには致命的な穴があく。**

勝負の世界で私が得た教訓である。

注意しなければ気づかないような
小さなものでも、
「手抜き」を放置すると
チームには致命的な穴があく。

欠点は、直すよりも武器にする

プロ野球界に飛び込んでくる若者は、他の選手より秀でた能力を何か必ず備えている。それがプロフェッショナルの世界だ。しかし、どんなに高く評価された選手でも、何から何まで完璧というわけではない。**短所、欠点、弱点を必ずどこかに抱えているものだ。**

ドラフトで指名されるような選手は、スカウトが視察する段階では長所ばかりが目立つ。普通のレベルの選手と一緒にプレーしていればいいところが目につくのは当然だし、スカウトには「欠点があるのは当たり前。それより、どんな長所を備えているか見抜こう」という視点があるからだ。

ところが、その選手が鳴り物入りで入団すると、「この選手があんなに高い評価を受けていたの？」と感じる監督やコーチは少なくない。

無理もない。毎日プロを指導している目で「現時点ではまだアマチュア」の選手を見ているのだから、どんなにいい素材でも欠点ばかりがすぐ目に留まる。似たようなことは、ビジネスの世界にもあるだろう。

新人を一人前にできるかどうか。また、どれくらいの時間を要するか。それは強いチームを作れるかどうかの分岐点と言える。スカウトが将来性のある新人を次々と連れてきても、現場が一人前にできなければチームは強くならない。反対に、現場が優秀でもスカウトの見る目が節穴では元も子もない。現場とスカウト部門が情報を共有し、同じビジョンを持ってチームを作っていくのが理想となるが、その中でも現場の長にある**指導者は、欠点を長所に変える目を持って新人に接していくことが大切なのだ。**

日本には「シュート回転」という欠点を抱えた投手が多い。

右投手ならば、右打者の外角を狙って投げたボールが真ん中に寄ってしまう。つまり、勝負球が甘くなることから修正しなければならないと考えられている。その原因は、指の長さ、太さ、腕の振り方、投球フォームのクセなどさまざまで、投手コーチはシュート回転の原因を分析しながら、その部分を修正しようと考える。また、普段はきれいな回転のボールを投げていても、投球数が増えてくると腕の振り出し位置が下がり、それによってシュート回転してしまう投手もいる。このタイプは、先発すると中盤から終盤にかけて打ち込まれる危険性が高まるので、リリーフとして短い回数を投げさせるなど、安心して使える道を探すこともある。

自分のためにならない欠点や悪癖があれば、直してやるのが指導者の役割だ。しかし、打者出身の私は、シュート回転する投手と出会った時、こんなふうに考えたりする。

「このシュート回転するストレートを武器にする手はないだろうか」

フォームを微調整すればシュート回転しなくなる。だったら、そう仕向けてやるのが選手のためかもしれない。ただ、指の長さや太さが原因でシュート回転するのなら直しようがない。指を長くするわけにはいかないのだから。それに、どこかひとつの欠点を直すということは、肝心の長所まで消してしまう恐れがあるということを、私は現役時代から何度も見てきている。

現状のままで力を発揮させる方法はないのか。

私の新人に対するアプローチは、いつもここから始まる。


投球フォームに問題があるために、シュート回転してしまう投手がいるとしよう。この投手は、フォーム、シュート回転とふたつの欠点を持っていることになる。そこでフォームを修正し、シュート回転しなくなったとする。欠点は消えたが長所は何か。そう考えると、可もなく不可もなくという特徴のない投手になってしまったとも考えられる。ならば、この投手に対する視点を変えてみる。問題のあるフォームでも、それが故障につながるものでなければ、かえって相手打者は打ち辛さを感じるのではないか。シュート回転するボールは真ん中に行くと危険だが、内角を突いてやれば打ち崩すのは難しいはずだ。

「フォームの問題は気にせず投げろ。シュート回転するストレートは内角を突く時だけ。真ん中から外の勝負球には変化球を使え」

そうやって起用しているうち、本人の取り組みによってシュート回転しないストレートを身につけてくれるかもしれない。指導者に命じられたからではなく、**自分が必要性を感じたほうが技術の修得は早い**ものだ。

ビジネスシーンでも同じではないだろうか。

ひと言多いヤツ――でも、「喋るな」と注意するよりは、失敗を覚悟で、その行動力に期待してみよう。営業では確実にクロージングに持ち込む粘り強さがあるかもしれない。

極端な人見知り――パソコンの前では水を得た魚のように仕事をこなすかもしれない。人をうかつに信用しないのなら、経理など数字を扱う部門もいいだろう。

どんなに高い実績を上げていても、すべてに完璧な人間などいない。

ならば若い世代を見る時は、長所が欠点を補い、次第に成長していくことに期待すればいいのだ。

すべてに完璧な人間などいない。
長所が欠点を補い、
次第に成長していくことに
期待すればいいのだ

最初に部下に示すのは、「やればできるんだ」という成果

私が監督に就任した2004年以降のドラゴンズは、70年を超える球団の歴史の中でも特筆すべき〝業績〟を上げた。それは、すべて選手たちが勝ち取ったものだ。

決して謙遜しているわけではない。グラウンドで必死にプレーし、勝利を積み重ねているのは選手なのだから。では、私がチームに貢献したことは何か、と問われれば、選手に「俺たちもやればできるんだ」と実感させたことではないか。そういう意味で、就任1年目のシーズンの取り組みには大きな意義があったと思っている。

就任直後の私は誰一人選手のクビを切らず、かといって目立つ補強もせず、現有戦力を10〜15％底

上げして優勝すると宣言した。

「本当にそんなことができるのかよ」

それが選手、ファン、メディアの本音だっただろう。そして、春季キャンプの初日に紅白戦を実施したり、一、二軍を振り分けないキャンプで厳しく選手を鍛えたことにより、何人かの選手は手応えをつかんだかもしれない。だが、まだ多くの選手は半信半疑だったはずだ。そうやってペナントレースを迎えると、開幕カードに3連勝したものの、ゴールデンウィーク明けには2度の3連敗で最下位に沈んでいる。

それでも、私は外国人を補強したり、トレードしたりすることなく、選手を入れ替えながら指揮をした。そして、6月下旬に再び首位に立つと、そのままトップでゴールのテープを切ったのである。表現は悪いかもしれないが、私はあらゆる手を尽くして選手を洗脳した。そうして戦った選手たちは「勝てるのかな、勝てないのかな」から「あら、このメンバーで勝っちゃった。やっぱり練習すれば勝てるのかな」という気持ちに変化したのだと思う。

この取り組みを振り返って言えるのは、組織を統括する立場になった者は、まず部下たちに「こうすればいいんだ」という**方法論を示し、**それで部下を動かしながら「やればできるんだ」という**成果を見せてやる**ことが大切だということだ。

それが、ドラゴンズの場合はリーグ優勝することだった。

万年Bクラス（4位以下）のチームなら、優勝争いに絡むだけで進歩はするのかもしれない。しかし、ドラゴンズは私が監督になる前年も2位になっているチームだっただけに、優勝することが「やればできる成果」として、必要だったと感じている。

ひと口に〝成果〟と言っても、業種によってさまざまだろう。重要なのは、自信をつけさせ、それを確信に変えてやること。自信をつけさせても、結果が伴わなければ「ここまでやってもダメなんだ」となってしまう。

そして、一定の成果を出して部下が「やればできるんだ」と実感したら、「実力以上のものを出そうとするな。できる範囲で一番いいものを出してくれよ。そして、できる範囲を広げていくんだ」と自己成長を促してやればいい。

野球でもビジネスでも、「できることをしっかりやる」のが成果を上げる鉄則だろう。その一方で、「できることをしっかりやることこそが難しい」のも事実だが、部下が**「あの人の言う通りにやれば、できる確率は高くなる」と上司の方法論を受け入れるようになれば、組織の歯車は目指す方向にしっかりと回っていくはずだ。**

何事も最初が肝心だと言われているが、組織力を高めていくためには、現場を預かった人間の第一歩が大切だと身をもって感じたのである。

重要なのは、
自信をつけさせ、それを
確信に変えてやることである。

自由にさせることと、好き勝手にすることは違う

社会人時代、私にも印象に残る上司がいた。

私は東洋大学を中途退学した後、郷里の秋田でプロボウラーを目指したりして過ごしていたが、20歳の時に母校・秋田工業高校の野球部長だった安藤晃先生を訪ね、就職先を探していただいた。それが東芝の府中工場だった。野球部のセレクションに合格し、臨時工員として採用された。

その時、職場の上司に言われたのが「見習い期間の3か月は1日も休むな。休んだら正社員にはなれないからな」ということ。そして、3か月後に晴れて正社員になると、今度はこう言われた。

「風邪だとか腹が痛いと言って欠勤するなよ。体の具合が悪くても、這ってでも出社しろ」

ここまで聞くと、ただの厳しい上司である。しかし、その先がある。

「休暇というのは、思い切り遊びたい時に使うものだ。ちょっと体調を崩したくらいで欠勤したら、有給休暇を使われてしまうだろう。だから、具合が悪い時は会社まで来て、机で寝とけ。そうすれば、有給休暇は遊びたい時に使える」

当時は「有給休暇は体の具合が悪い時に使うもの」と言う上司が多かっただけに、斬新というか新鮮というか、とてもユニークな考え方だと感じた。

休暇は遊ぶためにあるもの——。屁理屈なのかもしれないが、それも理屈には違いないと感じた私は、その上司に対して自然と親しみを持つようになった。また、その上司は野球が好きだったので、私も何かと気にかけてもらった。そうして、初めて就職した職場で、私は良好な人間関係を築くことができたのである。

話を戻そう。私自身に30年経った今でも思い出す上司がいるように、上司は部下にとって大きな影響力を持っていると思う。そして、その上司のユニークな考え方で職場に馴染むことができたことも踏まえ、私も**選手たちにはできるだけ自由にさせたいと考えている。**

かつて、プロ野球選手といえば、普段着はゴルフシャツにスラックスという出で立ちが多く、チームで移動する際には大柄な男たちが揃いのスーツを着てゾロゾロと歩く。それは、野球を知らない人が見たら何の集団かと思うような光景だっただろう。しかし、サッカーをはじめとする他のスポーツ選手の影響もあるのだろうか。最近では、自由な服装で長髪や茶髪にしている選手も珍しくない。

こうした身なりの点についても、私は遠征先への移動の際には上着を着るか手に持つかするようにと言っただけで、ネクタイはする必要ないし、髪型や服装全般に関しては何も指示していない。

けれども、ドラゴンズの選手に長髪や茶髪はいないし、移動の際にもネクタイをしている者が多い。「ネクタイはしなくていい」と言った人間がしていたら選手も戸惑うだろうと思い、私はネクタイをしていなかったのだが、それでも選手たちはネクタイをする。挨拶も、その日に初めて顔を合わせた時に1回すればいいだろうと思っているが、私と顔を合わせる度に「こんにちは」と頭を下げる。決して悪いことではないが、私も時折、苦笑いをしながら「今日、俺に会うのは何回目だ」と返したりしている。そういう選手たちは可愛いと思う。

こちらがいくら自由にさせようと考えても、**「こういう格好をしたら何を言われるか」「茶髪にしたら野球に打ち込んでいないと思われる」などと、自分たちで考えているのだろう。**やはり、選手にとって監督とは、自分の野球人生を左右する存在なのだ。そして、そういう思いのこもった視線を常に投げかけてくる。だからこそ、私は選手に見られていることを意識する中で、少しでも選手に自由に考え、過ごさせたいと思っている。

バックネットに向かって何人かの選手がティーバッティングに励んでいる。その一人に私が話しかけようと「おい」と声をかけると、名前を呼ぶ前に、近くにいるすべての選手が「はい」と元気のいい返事をして振り向く。

「おい、おい、全員を呼んだわけじゃないだろう」

私は思わず笑ってしまう。アマチュア時代から「監督に呼ばれたら、すぐに大きな声で返事をしなさい」と躾《しつけ》られているスポーツマンらしいといえばそうなのかもしれないが、実は私が誰を見ているのか、何を言おうとしているのか、気になって仕方がなく、耳がダンボになっているのだ。それくらい、選手にとって監督は影響力を持っているのだろう。

だからこそ、自由にさせてやりたいと思っている。

しかし、それは「自分で考え、自分なりに行動すること」にほかならない。

好きにやることには責任が伴う。好き勝手とは違うのだ。そのことを選手たちは自分たちでよく理解していることが、服装や身なり、挨拶にも表れているのだと思う。

好きにやることには責任が伴う。
好き勝手とは違うのだ。

「大人扱い」という名の「特別扱い」はしない

選手には、できる限り自由にさせたいと考えている。だから、キャンプや合宿所生活にはつきものと言える門限も設けていない。そういう私のやり方について、ある人はこう言う。

「落合監督の練習は厳しいから、選手たちは、野球以外に手が回らないんでしょう」

確かにドラゴンズの春季キャンプは、基本的に6日練習して1日休む**6勤1休**だ。他の11球団は、4勤1休が多いだろうか。

練習時間が長く、休みが少ないから選手が疲れているかといえば、そんなことはないと思う。6勤1休でも休日にゴルフに興じる選手は少なくない。どんなに厳しい練習をしようとも、休みを少なくしようとも、休日に遊びたい選手は元気に遊ぶ。

髪型や服装と一緒で、休日の過ごし方までコントロールしようとしても、なかなか難しいものがある。だから、沖縄のキャンプでは自動車の運転と船に乗ることだけを禁じているくらいで、門限も未成年の選手にしか設けなかった。

「外泊したければすればいい。その代わり練習には必ず出てこいよ。もし遅刻したらわかっているな」

仮に門限を設けたとしても、どうしても遊びたい者は知恵を振り絞って門限を破ろうとする。それをチェックしようとすれば、それこそ24時間態勢の監視が必要になってくる。その担当者は寝る間もなくなってしまう。ならば、グラウンドを離れた部分でも、**最低限の約束事だけを決め、選手たちのことを「見ているだけ」でいい**と思う。

ただ、「見ているだけ」という考え方は、選手を「大人扱い」することではない。

野球の世界で「大人扱い」といえば、次のようなケースが思いつく。

①プロや社会人チームが、高校、大学で高い実績を上げて入ってきた選手に対して、あれこれ細かく指導するよりも、自分のスタイルで気持ちよくプレーさせてやろうとすること

②高校や大学の最上級生、あるいはプロや社会人のベテラン選手の練習を、自主性に任せようとすること

気持ちよくプレーさせてやろう、自主性に任せよう、実に耳ざわりのいい言葉である。ただ、耳ざわりのいい感覚は、少しでも使うニュアンスを間違えると、まったく違う意味合いになってしまう。私が話を聞いた範囲で言えば、「大人扱い」は指導者が選手に気を遣っているだけというケースが少なくない。

要するに「大人扱い」ではなく、「特別扱い」をしているだけなのだ。

チームの中で「特別扱い」されている選手がいると、そこからチームワークが崩れていく場合が多い。その選手が目立つ実績を上げられなければ、他の選手たちは「好き勝手にやらせてもらっているんだから、もっと活躍してくれてもいいだろう」と思う。最近の若い選手は、そういう雰囲気には敏感だ。何とか実績を上げようとするが、自分のスタイルで自主的に練習しているだけでは、壁にぶち当たると跳ね返す力が乏しい。自己成長させるための引き出しをいくつも持っていないからである。

そして、指導者もこう考えるようになる。

「これだけ自由にプレーさせているのに、大学時代の力がほとんど出ていない。もう伸びない選手なのだろうか」

それで選手を見切ってしまうようでは、指導者も無責任と言わざるを得ない。

私が選手をできる限り自由にさせたいと考えているのは、**自由というものが最大の規律になるからである。**そう仕向けながら、グラウンドの上で「見ているだけ」の場面では、決して選手を「大人扱い」せず、選手が成長していくための道を作ってやろうと、つぶさに観察しているのだ。

基本はリストラではなく、今いる選手をどう鍛えるか

私が監督に就任した2004年、一人もクビにせず、現有戦力を鍛えてセ・リーグ優勝を果たしたように、**チーム作りの基本は「今いる選手をどう鍛えるか」**だと思う。

ところで、日本のプロ野球には外国人枠がある。

現在は球団ごとの登録人数に制限はないが、同時に一軍登録できるのは4人まで（投手・野手ともに3人が上限）と決められている。かつて、メジャー・リーグの実力が日本より遥かに上と見られていた時期は、メジャー・リーグ経験者が来日すると大きな話題になったものだ。ただし、だからといって日本の野球スタイルに馴染むかどうかは未知数である。大枚をはたいてメジャー通算何百本塁打という外国人を獲得したものの、たいした実績も残せずに帰国したというケースもよく見られた。

そうした流れもあり、最近では日本の野球に適応でき、ハングリー精神もあるだろうという見方から、メジャーに昇格できなかったり、メジャー経験の浅い若手の外国人を獲得する球団が増えた。〝助っ人〟と呼ばれていた外国人選手も、日本で育てる時代になったのだ。

私が監督に就任してからのドラゴンズも、韓国プロ野球や横浜ベイスターズで実績を積んだアメリカ人のタイロン・ウッズ、韓国球界のスターと呼ばれた李炳圭を獲得した以外、高額な年俸を必要とする外国人選手を獲得するのはやめた。森繁和ヘッドコーチがシーズンオフにドミニカ共和国へ足を運び、日本で活躍できそうな選手を連れて来る。1年目の年俸は高くても3000万円くらいだ。

どうしても戦力を補強したいポジションがある時、フリーエージェントやドラフトでの獲得を目指すと、契約金なども含めて何億という予算が必要になる。しかし、ドミニカ共和国からやって来る選手には、それほどの予算は必要ないし、言葉は悪いがダメなら即クビにできる。日本よりも非情な契約社会でプレーしている彼らは、プロ野球選手という仕事はそういうものだととらえているからだ。

2011年に先発ローテーションの柱となったマキシモ・ネルソンという投手は、森が現地で選手のテストを行なっていた際、サンダル履きの姿でやって来て、飛び入り参加をさせてほしいと申し出たという。ウォーミング・アップもそこそこの状態でも150キロに迫るストレートを投げたということで契約したが、はじめは「本当に野球をやっていたのか」と感じるほど投げ方も、その他のプレーも滅茶苦茶だった。それでも、日本人選手と同じように4年間をかけて着実に成長し、2011年は開幕投手も務めたのである。登録に一定の制限があること以外、チームでは日本人選手と何ら区別はしていないから、伸び悩む日本人選手にとっても強い刺激になっていたと思う。

プロ野球の世界は、予算さえあれば毎年のように20人、30人という単位で選手を入れ替えていくことも可能だ。

しかし、私は監督として就任した2004年、そうした戦力刷新をせずに戦った。

ところが、である。その年にいきなり優勝したにもかかわらず、18人の選手とは契約を更新しなかったのだ。なぜなら、優勝という結果は残したものの、**積極的な補強をしなければ、2005年は最下位になってもおかしくない**と私が判断したからである。

2004年に一人もクビにしなかったのは、選手の実力を私が直接見ていなかったからで、1年間じっくり選手を見ていた結果が18人とは契約しないという判断になった。ただ、それはチーム作りにおいて毎年のように断行する手法ではない。それ以降は、どうしても補強が必要なポジションに新たな戦力を獲得するようにしてきた。

ペナントレースが終盤に差しかかると、球団フロントとドラフト会議で何人の選手を指名するか協議する。それと並行して、すべてのコーチに選手の評価を提出してもらう。それを総合的に判断しながら、ドラフトで5人を指名しようとなれば、5人の選手にユニフォームを脱いでもらわなければならない。これは、**監督の仕事の中で最も辛いものだし、重い判断だと思っている。**

「こいつは、もう成長する余地はないのか」
「投手がダメでも野手としてやっていく可能性はないのか」

可愛い自分の部下をリストラするのだ。コーチや球団フロントとは何度もやり取りする。ドライに割り切れない部分もあるが、そこは勝つということ、そのためにチームをどう編成しなければならないのかを考えて粛々とやっていく。ただ、チームを活性化するためにも何人かの新人は入れなければいけないだろうということを除いては、**現状の戦力をどう生かすのかが大前提だ。**企業経営者の方と話しても、そうした考え方は共通しているのだと感じる。

リストラするのは簡単だ。しかし、その選手をそこまで育てるのにどれだけの時間、労力、そして金をかけたのか。その発想だけは忘れてはならないのだと思う。

それでも、毎年何人かの選手には戦力外通告をしなければならない。だからこそ、私は12球団どこに行っても戦力と考えてもらえる力をつけさせたいと考えている。私から戦力外通告される選手は、残念ながらドラゴンズでは競争に負けたのだ。しかし、他の11球団のどこかひとつでも使えると見てくれれば、彼はプロ野球選手として生き残ることができる。

実際、2005年限りでドラゴンズのユニフォームを脱いだ土谷鉄平は、東北楽天に拾われ、2009年にはパ・リーグ首位打者を獲得した。彼の活躍は、ドラゴンズの厳しい練習が間違ってはいないのだと教えてくれたのだと思う。

契約はドライに。引き際はきれいに

30代半ばを過ぎ、ベテランと呼ばれるようになった選手に対して、私が考えていることはひとつ。**悔いを残さずにユニフォームを脱がせてやりたい**。これだけだ。

ドラゴンズには、山本昌というベテランの左腕投手がいる。1984年に入団して以来、ドラゴンズひと筋にプレーしている。私が監督に就任する時点で通算160勝を上げていた。だが、38歳になっていたこともあり、一流選手の証といえる通算200勝には届かないと思っていたようだ。私は山本昌に「200勝はしろよ」と言った。

プロ野球選手という仕事は、12球団のすべてが自分を必要としなくなった時点で終わる。現在はアメリカをはじめ、韓国や台湾などでもプロ選手としてプレーを続ける道はあるが。そして、その大半が戦力外通告、つまり自分の意思ではない部分で引退が決まる。しかし、投手なら200勝、野手なら2000本安打など**高い実績を残した者だけが、自分の引き際を自分で決めることができるようになる。**私自身がそうだったように、ドラゴンズのベテラン選手たちにも、できれば自らの意思でユニフォームを脱ぐことができるようになってほしいと考えていた。だからこそ、山本昌には200勝を目指させた。

果たして、山本昌は2008年に通算200勝を達成。私の中で、山本昌は自分で引き際を決められる選手になっていた。ところが、2009年に1勝で終わると、翌10年も夏場になるまで一軍のマウンドで投げることさえできなかった。ようやく8月7日の阪神戦に先発すると、6回を1失点で勝利投手となり、そこから5連勝をマーク。結局、この年は2位の阪神を1ゲーム差で振り切り、4年ぶりのリーグ優勝を成し遂げたが、阪神が敗れて優勝が決まった10月1日、ナゴヤドームで祝勝会が終わると、球団職員が私のところに来て「マサさんが監督を探しています」と言う。テレビ出演などが立て込んでいたため、すべてを終えて監督室に行くと、山本昌が思い詰めたような表情でこう言った。

「もう1年、現役でやらせてもらえないでしょうか」

私の考えは先に書いた通りだ。

山本昌が挙げた5勝が優勝に結びついたのも事実。だから、こう返した。

「それは私が決めることじゃない。おまえはそういう選手になったんだろう」

あとは、山本昌のようなベテランが引退を決意した時、できる限り引退試合などを用意して、多くのファンの拍手で送り出してやりたい。それがベテラン選手に対する私の思いである。また、私が言う「悔いを残さず」には、もうひとつの意味がある。そのためには、引き際はきれいにしたほうがいいと考えている。

15年、20年とプレーを続けたベテランには、チームの勝利に貢献してきたという自負もあるだろうし、長く第一線を張っているというプライドも強いはずだ。しかし、監督の打ち出した方針によっては、若手にチャンスを与えようと控えに回される場合もあるかもしれない。あるいは、チームを活性化しようとトレードされたり、自由契約になることも考えられる。

「俺の今までの貢献度をどう思っているんだ」

「競争もせずに若手にポジションを与えるなんて……」

心中穏やかでないのは理解できる。しかし、それが1年ごとの契約社会の現実なのだ。レギュラーとしてプレーを続けたければ、そういう評価をしてくれる球団への移籍を申し出るしかない。その権利はあると思うが、移籍交渉が不調に終わることもある。そうやって自分が不本意な立場に立たされた時、思いの丈を吐き出したり、首脳陣や球団フロントと衝突してしまうのは簡単なことだ。

だが、**プロ野球選手の人生は、現役を退いたら終わりではない。**

10年、15年とプレーを続けたベテランならなおさら、将来は監督やコーチの要請を受けることもあるだろう。評論家としてテレビ局や新聞社で仕事をしていくかもしれない。そうやって次の世界が開けるはずだから、多少は不本意な形になったとしても引き際はきれいにしたほうがいい。入団から数年せずに消えていく選手が多い中で、長く活躍できたのである。だからこそ、最後はきれいに終わったほうがいい。どんな世界でも、次の世代を担うであろう人間の立ち居振る舞いは、見ている人が見ているものだ。

実は、引退後に指導者としてユニフォームを着ることができず、「選手時代にあまり勝手な振る舞いをしないほうがよかったのか」と後悔している人は少なくない。現役生活に悔いを残さないのと同様に、引退後の人生も充実させたいのなら、それ相応の言動を取るべきだろう。

プロ野球は実力社会といっても、野球界の常識が通用するのは現役時代に限ったことである。オーナーをはじめ球団フロントは一般社会であり、しかも12球団しかない狭い世界なのだ。あくまで契約はドライに、引き際はきれいにしたほうが身のためであることを、ベテラン選手には折に触れて伝えている。

高い実績を残した者だけが、
自分の引き際を
自分で決めることができる。

平均点から一芸を磨け

「どうすればプロ野球選手になれますか？」

目を輝かせた少年からそう聞かれた時、プロ経験者には二通りの答えがある。

「打つ、守る、走る。どれもしっかりと力をつけ、三拍子揃った選手になれるよう頑張りなさい」

あくまでも、野球選手としての理想を追い求めさせるためのアドバイスだ。しかし、現実にはプロといえども三拍子揃った選手などなかなかいない。そこで、もうひとつはこんな言葉をかける。

「打つことでも、守ることでも、走ることでもいい。肩の強さや体力でもいい。これだけは絶対に負けないという一芸を磨けば、スカウトの目に留まるはずだ」

監督は年に何度か球団の編成会議に出席する。ドラフト会議ではどの選手を指名するか、編成の責任者やスカウトを交えて話し合うのだが、その際には一芸に秀でた選手の名前が挙がることが多い。私自身も、陸上競技の短距離走選手にも匹敵する走力、プロでも即トップクラスに入る肩の強さなどを備えた若者がいたら、それだけで入団させても面白いのではないかと考えている。たとえ野球の技術は未熟でも、正しい技術や知識を身につけさせれば、飛躍的に成長する可能性がないとは言えないからだ。**一芸に秀でた若者には、いい意味で将来の成長度合いを想像し切れないという魅力がある。**

その一方で、打つ、守る、走るという要素をそつなくこなす選手、スカウトが使う表現で「まとまりのある平均点の選手」は、ドラフト候補のままというケースがある。すべての要素で60点の選手が、それらを、あるいはひとつでも80点、90点と伸ばしていくイメージが持てないのだろう。

だから、プロ入りが夢ではなく目標という段階にある高校生以上の選手には、先にあるアドバイスの後者を選ぶ場合が多いと思う（もちろん、それで平均点の選手がプロ入りできないわけではない）。ただ、**スタートの時点で使いやすいのは、一芸に秀でたタイプよりも平均点の取れるタイプ**だと感じている。

バッティングだけなら一軍クラスという新人を使うなら、あまりプレッシャーのかからない場面から代打で、となる。それに対して「そこそこ打てて、そこそこ守れて」という選手の場合は、代打、守備固め、代走と起用法にバリエーションが持てる。さらに、選手が成長していくプロセスを追っていくと、最近は平均点タイプのほうがスターティング・メンバーとしても使いやすい。もちろん、ひと口に平均点と言っても、その水準をどこに置くかで選手の評価は変わってくる。

一芸よりも平均点と私が感じるようになったのは、日本における野球環境の変化にも一因があるだろう。

ボール遊びに始まった昔の野球少年は、小学校時代に四番でエースを張った選手が何人か中学校に集まり、競争の末に中学での四番・エースが決まる。高校でも同じように、何人かの四番・エースが競争する。そうやって、野球の段階が上がるとともに中心選手を選ぶ競争を繰り返し、それを勝ち抜いてきた選手がプロの門を叩く。さらにプロでも競争していくうち、自然と一芸に秀でた者が生き残ったのだ。

ところが、最近の野球少年は遊びではなく、しっかり野球の形となった環境でプレーを始める。そこではチームワークや勝つことも求められ、四番やエースの座を巡る競争ではなく、指導者が適性も考えてポジションに振り分けていく。**個々の力を伸ばすというよりもチームで勝つために野球をしているの**だ。

ゆえに、豊富な知識を備え、器用さはある選手が揃う一方で、力強さには欠けるという選手が増えた。他のスポーツも普及・発展したことで、身体能力の高い少年が必ずしも野球をするわけではなくなったという背景もあるだろう。そうした流れが、平均点タイプの選手を増加させているのかもしれない。

そう思いながら社会に目を向けると、若いビジネスマンにも平均点タイプが増えたのではないかと感じる。悪いことではない。何かひとつの特技よりも、何でもそつなくこなすという能力が求められている部分もあるからだろう。

「おまえは、すべて平均点なんだよなぁ」

そう嘆く上司も少なくなったのではないか。むしろ、**平均点からスタートし、成長していく過程で一芸を見つけられれば恩の字**という時代になったと思う。

スーパーサブとして、厳しい競争社会を生き抜く

一芸に秀でた選手よりも、平均点タイプの選手のほうがスタートの時点では使いやすいと書いた。そういう選手は、レギュラーが故障した時など、短期的にでもスタメンで出場する機会を得ながら力をつけておき、あとは〝順番待ち〟をする。つまり、年齢を重ねていくレギュラーの後釜を狙うのが中心選手になる一番の近道だろう。もしくは、**平均点の中から一芸を磨き、スーパーサブという存在になる**のもひとつの手だ。

ドラゴンズには、二人のスーパーサブがいる。

英智という登録名でプレーしている蔵本英智という外野手をご存知の方は多いのではないか。バッ

トで活躍する場面はそう多くないが、外野の守備と走塁に関しては日本でもトップクラスで、身体能力だけならメジャー・リーガーの一流選手ともいい勝負になる。私が監督に就任した2004年には主に守備固めで107試合に出場し、抜群の守備力でゴールデングラブ賞を受賞している。

英智が若かった頃のドラゴンズは、外野手に中軸打者がいたので、なかなかレギュラーに定着するところまではいかなかった。ところが、30代半ばを迎えても英智はいい動きを見せていて、試合終盤に逃げ切りたい時などは頼れる存在。9回を終えて1点でもリードすれば勝てるという、最終回からの逆算方式で試合を進めていく私にとっては、いなければ困る選手だったと言っていい。

プロ野球選手になった以上、誰もがレギュラーを目指して努力するわけだが、英智のようにレギュラーでなくともチームに不可欠な存在、すなわち**スーパーサブの座を不動にしていくのも、厳しい競争社会を生き抜いていく方法なのだと思う。**

もう一人のスーパーサブは、岩﨑達郎という内野手だ。2007年に入団すると、守りに関してはドラゴンズでもレギュラーに匹敵する安定感を見せている。絶対的なレギュラーだった井端弘和や荒木雅博が故障などで戦列を離れることも見られるようになったため、2009年の夏場に一軍に呼んでからは、2011年の終盤まで一度もファームに落とさなかった。2010年はペナントレースの全144試合で一軍メンバーだったが、出場したのは78試合で、85打席にしか立っていない。ほとんどが守備固めで、打率は1割8分3厘である。

それでも、年俸は大幅にアップした。岩﨑本人は、契約更改の席で目を丸くしていたというが、**そういう存在こそ正しく評価するのが私の役割なのだ**と考えている。まだ27歳で伸び盛りだから、ファームで徹底的に鍛え上げれば井端や荒木からポジションを奪い取れるかもしれない。ただ、現時点で勝敗を決する場面での守りを任せるには適任だという私の判断で、シーズン通して一軍に置いていたのだ。

一軍は猛練習する場所ではないから、岩﨑の将来を考えれば不幸な立場かもしれない。時にはファームで実戦経験をさせてやりたいとも思うのだが、そこで故障やケガをされてしまうのが一番怖い。だからこそ、せめて年俸という評価で報いてやらなければならない。

昔から代打や代走といった攻撃面でのスーパーサブはいた。その一方で、岩﨑のような選手はレギュラーになれない「万年補欠」と揶揄されたりしたが、現代の野球では、ましてや**「守り勝つ野球」を実践してきたドラゴンズでは不可欠な選手**だったのである。私の目で見て、他の球団ならレギュラーになれる可能性は高いと思うが、仮に交換トレードを申し込まれても絶対に出せなかった。厳しい書き方になるが、今の立場に甘んじたくないと思うのなら、限られた出場機会の中でも心技を磨き、井端や荒木の後釜を虎視眈々《こしたんたん》と狙うしかない。

ただ、英智のように「あいつがいないと困る」という存在になること、岩﨑のようにスーパーサブという立場からレギュラーを狙っていくのも、仕事にやりがいを見出すひとつの方法ではないかと思う。そこからチャンスを待つこともできるのだ。

相手の気持ちに寄り添いながら、自分の考えを伝える

監督になり、選手に対する言葉のかけ方の難しさは嫌というほど痛感させられた。ただでさえ、選手たちは監督が自分に対してどう思っているのか、何を求めているのかといったことに敏感だ。選手や部下とのコミュニケーションの難しさは、監督や上司という立場の者にとって永遠のテーマなのかもしれない。

「厳しいことを言ってくれる人の言うことほど、しっかりと聞きなさい」

思えば若い頃、誰もが親や学校の先生、あるいは会社の上司からこのようなアドバイスを受けたの

ではないか。振り返れば、私も小学生の頃は「勉強しなさい」「歯を磨きなさい」と親にしつこく言われ、「うるさいな」と感じていた。それが、自分が親になると息子に同じようなことを言っている。そうやって、ある程度年齢を重ねていけば、年長者が繰り返してくれるアドバイスは、自分のためを思ってのことなのだと理解できる。

だが、若い頃は、なかなかそうは思えない。どうしても耳ざわりのいいことを言ってくれる人の言うことを信じ、苦言を呈してくれる人には自分から近づこうとしない。

例えば、挨拶代わりのように気軽にかけた「頑張れよ」というひと言が、選手にとっては無言のプレッシャーとなってしまい、何も言わないほうがよかったのか、と反省したこともある。

また、一人の選手を取り上げて褒めると、その他の選手は「俺は監督に認められていないのか」と感じてしまうことがあることも知った。

8年間、監督を務めてきて強く感じているのは、**選手の動きを常に観察し、彼らがどんな思いを抱いてプレーしているのか、自分をどう成長させたいのかを感じ取ってやることの大切さだ。**自分なりに選手の気持ちを感じ取り、その意に沿ったアドバイスをすることができれば、それが厳しさを含んだものであれ、選手がこちらを見る目は変わる。

「ああ、監督は俺のことを思ってくれているんだ」

そう選手に思わせることができれば、そこから先のコミュニケーションは円滑になるのではないかと考えている。

何年も続けて実績を残している投手が、本来の状態とは言えない投球を繰り返しているとしよう。メディアが「勤続疲労」とか「限界」といった表現を用いてその理由を探ろうとしたり、ファンからも野次を飛ばされているうちに、本人にも少しずつ焦りが生まれてくる。そういう時は調子を取り戻すための原点を見失い、投球フォームやボールの質の確認ばかりに神経を集中しがちになっているものだ。そんな投手に対しては、タイミングを見計らって他愛のない話題で会話を始め、どこかでそっと、私の見方を投げかける。

「何だかんだと言ったって、優勝するのはうちだよな。まあ、終盤は厳しい戦いにはなるだろうけどな。だからこそ、ピッチャーはちゃんと走り込んでおかないと持たないぞ」

他人事のように話してはいるが、私が言いたいのは「ちゃんと走り込んでおかないと持たないぞ」ということである。ただ、思い通りの結果を残せなかった試合の直後やミーティングの場で言われると、自分の落ち度を指摘され、「走り込め」と命じられているように受け取るものだろう。その投手はボールを投げることばかりに考えが行ってしまい、走り込んで下半身を作り直すという基本にまで頭が回らなくなっているのだ。

それでも、「本来の調子を取り戻したい」と一人でもがいている。その気持ちに伴走しながら、監督としての考えを伝えれば、「そうだよな。調子を崩した時は走り込んで取り戻してきたんだから」

と素直に受け止め、監督は常に自分を見ていてくれるのだという安心感が生まれる。

また、最近の若いスポーツ選手は、自分の競技を「楽しむ」という表現を頻繁に使う。私自身は野球を職業としか考えたことがなく、したがって「楽しむ」などという心境でプレーした経験は皆無である。だが、プロ野球は楽しんでできるものなのか否かの議論はさておき、「楽しむ」がキーワードとなって成長していけるのなら、あえて「楽しんでプレーしてみろ」と、若い選手の心に届きやすい表現で気持ちを鼓舞してやるのもひとつの方法なのかと感じている。

監督たるもの、コーチや選手に対して妙な気を遣ってはならない。ただ、さまざまな面で配慮してやる必要性の中には、**相手の意を汲んだコミュニケーションもある**のではないか。こちらを見る目が変われば、互いに本音でぶつかり合うことができるのだ。

若手諸君、成長したけりゃ結婚しよう

2011年のペナントレースでは、若い外野手たちがレギュラーの座を手にしようと激しく競い合った。それを見ながら、私は23歳の平田良介がポジションを奪い取るだろうと感じた。

平田は、2006年にドラフト1位で大阪桐蔭高から入団。背番号8をつけ、将来のクリーンアップ候補として期待を集めた。1年目から一軍出場を経験し、07年の日本シリーズ第5戦では、唯一の得点となる犠牲フライを放って53年ぶりの日本一にも貢献。翌08年には59試合に出場するなど、順調に成長しているかのように見えた。ところが、チャンスをつかみそうになると、故障やケガでふいにしてしまうことの繰り返し。10年はシーズンの大半をファームで過ごし、11年は背番号も8から40に変わった。

そうして伸び悩んでいた平田が、なぜ6年目に急成長を遂げたか。私やコーチが奮起するようなアドバイスをしたわけではない。一番大きな理由は、平田が結婚し、子供が生まれたことだと思う。私は若い選手たちに、「いい人が見つかれば、少しでも早く結婚したほうがいい」と勧めている。プロ野球選手にとっての結婚とは、何よりも自己成長の原動力になると感じているからだ。

一般論で話を進めよう。若い選手は指導者にアドバイスを求めながら技術を磨いていく。このプロセスにおいて、自分自身で成長していると手応えが感じられたり、実戦で結果が出ている時は「コーチも自分のことを思いながら指導してくれている。何とか頑張ろう」と前向きな気持ちで練習に取り組むことができる。ところが、故障やケガに見舞われたり、思い通りのプレーができなくなると、心のどこかに「所詮コーチは第三者なんだ」という思いが生まれ、アドバイスを素直に聞くことができなくなったりする。**コーチがどんなに親身になって接していても、選手の側にそれを受け入れる気持ちがなければ成果は上がらない。**ここが、若者の成長をサポートする際の難しさでもある。

また、親や兄弟も心の支えになる部分があると思うが、そうした肉親も、順調に成長している時期は背中を押す存在となる。一度や二度活躍したくらいでは「気を引き締めなさい」「周りの人に感謝しなさい」と厳しい言葉で励まし、さらなる奮起につなげるものだ。しかし、苦しい立場になった時には、最終的には慰めることしかできない。

「今は苦しくても、必ずいい時が来るから」

そんな温かい言葉をかけても、肉親だからこそ、選手の耳に届いても心には響かないことがある。

そうやって、コーチや肉親の言葉を素直に聞き入れられない状態になっても、配偶者という存在だけは違う。縁があって家族になっているが、元々は第三者である。選手の働きに夫婦二人の生活がかかっているという現実が、笑顔でかける「頑張って」というひと言にも、まったく違った意味合いを込めるのだ。ましてや、二人の分身である子供を授かったとなれば、さらにその言葉は重みを増す。

仕事とは、自分が生きていくために取り組むものだ。コーチのためでなければ親や兄弟のためでもない。ただ、結婚することによって〝家族のため〟になると、おのずと取り組む気持ちにも変化が生まれてくるものだ。

平田のことに話を戻そう。2011年の開幕はファームで迎えたものの、5月5日に一軍へ昇格すると、2試合連続サヨナラ本塁打というドラゴンズ史上初の活躍などで6月のセ・リーグ月間MVPに選ばれる。夏場には結果の出ない時期もあったが、何よりグラウンド上での態度、試合中の顔つきが以前とはまったく違っている。スターティング・メンバーとして出場する機会も増え、周囲からも「レギュラー獲得まであと一歩」という視線を向けられる中、平田自身に「つかみかけたものを絶対に手放すものか」という強い意思が感じられる。私がポジションを与えたのではなく、平田自身が実力でつかもうとしているのだ。

そうやって、一人、二人と若い選手がベテランからポジションを奪い取り、今度はそれを守り抜こうと必死にプレーする。チームには、その背中を見ている選手もいる。その**静かな、しかし激しい戦いが強いチームを作っていく**のではないかと感じている。

シンプルな指導こそ、耳を傾けよ

監督になってから、ひとつだけ〝ないものねだり〟をしたことがある。

私が自分の目で見て脳で感じたことを選手（第三者）に伝えた時、私の言葉を選手はどうとらえ、どう感じたのか。それが私にわかるような機械はできないものかと考えたのだ。そうすれば、次々と選手の技術力を高めることはできるのに……。現実的には、そんな機械ができるはずはない。つまり、**私が伝えたことを選手はどうとらえたのか、私が知ることはできない。**ここがコミュニケーションの最大の難しさではないだろうか。

なぜ、こんなことを考えるようになったのか。私は現役時代、打撃技術というものをどうすればシンプルにできるかを追求してきた。究極的に言えば、「こうバットを振ればヒットになる」というスイングを探していたと言っていい。しかし、シンプルにしていこうと取り組んでいるのに、実際にはどんどん難しい方向に進んでいたような気がしている。

だからこそ、現役引退後は難しい打撃技術をシンプルに伝える方法を考えてきた。小学生でも理解でき、納得してもらえる表現、言葉遣い、伝達方法などである。ところが、ここにひとつの弊害が生まれた。**シンプルに伝えようとすると、相手の耳に入りにくい**ということだ。

私に打撃指導を受けようとする選手は、自分の知らないことを教えてくれるのだろうと期待している。しかし、私がシンプルな表現を使うと「この人は、誰でも知っているような簡単なことしか言わないな」と感じるようだ。

「バッティングは、そうやってシンプルに考えていくものなのか」

「何事もシンプルに考えていくことが大切なんだな」

そう受け取ってもらえれば、その先の話もしていくことができる。だが、実際にはそうはいかない。

「こんなに簡単なことしか言わないで。この人は俺をバカにしているのか」

「こんなことしか教えないなんて、どうせ俺にはできないと思っているんだろう」

そんなふうに受け取られ、「それくらい、俺だってわかっているよ」と耳では聞いていても頭には入らなくなってしまう。受け手がこういう気持ちになってしまうと、私がいくら「ここが一番大切なんだ」と説いても伝わらない。そして、私が伝えようとした基本的なことを、その選手ができているのかと観察してみると、まったくできていないというケースが少なくない。

最近、新聞やテレビのニュースを見ても理解し辛い経済や政治の話題を、わかりやすく解説してくれる番組が流行っている。その番組の出演者たちは、難しいと感じていた話題を小学生にも理解できそうなシンプルな表現で解説されると、「何だ、そんな簡単なことだったのか」と笑顔で膝を打つ。自分の専門外の分野については、シンプルに伝えてもらうほど頭に入りやすいのである。

それなのに、自分の専門分野、すなわちプロ野球選手にとっての野球に関しては、シンプルに説明してくれる人よりも、難しい言い回しを使う人のほうが高度な内容を伝えてくれていると感じるようだ。教わった技術の修得に取り組む際、難しい表現で説明されたことを身につけられれば自分がレベルアップした気になるのかもしれない。あるいは、難しいことを言われても、ある程度まで理解できる自分に自信を持てるのかもしれない。

そのことを間違っているとは言えない。ただ、シンプルな表現は、受け手に勘違いさせる場合が少なく、大切な要素を凝縮しているものなのだ。**高い技術を持っている人ほど、その難しさを熟知しているからこそ、第三者に伝える際にはシンプルな表現を使おうとする。**それを聞き逃さず、重要なヒントをつかみ取ってもらいたい。

「見なくてもわかる」で、確実に成長は止まる

プロ野球で新監督が就任すると、1年目の春季キャンプでは取材するメディアの数が増えるものだ。それは、「この監督はどういう野球をするのだろう」「新監督でチームはどう変わるのだろう」という関心があるからだろう。私が就任した2004年もそうだった。一、二軍の振り分けをしなかったり、初日に紅白戦を実施するということで、多くのメディアや評論家がキャンプ地を訪れた。

最も驚いたのは、高齢で現場に足を運ぶことは滅多にないと言われていた川上哲治さんも姿を見せたことだ。廣岡達朗さん、関根潤三さんといった監督経験者の先輩も、2時間以上続くサブグラウンドでのノックを最後まで楽しそうに見ていた。

だが、その一方では、実際に見てもいないのに「初日から紅白戦なんて意味がない」という声や、

長時間のキャンプを見て「あれでは選手が壊れてしまう」という批判もあった。私のやり方を批判するのは自由だ。しかし、見てもいないことを評価するのは論外だし、選手が壊れるかどうかはペナントレースを戦ってみなければわからない。私は単純に疑問を感じた。

「誰かが何かを始めようとする時、なぜ粗探しをするような見方しかできないのだろう。しかも自分の目で見て確かめようともせずに」

果たして、この年は「まさか」と言われる中でペナントレースを制することができた。大きな要因のひとつは、体力的にも苦しい夏場にパフォーマンスが落ちなかったこと。選手たちはキャンプで厳しい練習を続けた成果だと実感した。また、キャンプに足を運んだ評論家の多くは「厳しいキャンプが実を結んだ」と評していたが、足も運ばずに批判した人は黙っているしかなかった。

私も評論家活動をしていた1999年からの5年間は、12球団すべてのキャンプ地に足を運んだ。キャンプも見ずにあれこれ書くのは失礼だと思っていたし、何よりも自分の目で情報を収集しなければメディアで話すことも書くこともできない。そして、実際に現場に足を運べば勉強になることがいくつもあった。「プロだから見なくてもわかる」という人もいるようだが、私自身は**「プロだからこそ見なければわからない」ものだと実感した。**

プロだから見なくてもわかると言う人は、自分が経験した野球で時間が止まっている。どんな世界でも、外から見える姿に大きな変化はなくても、内部ではさまざまな進歩や変化があるはずなのに、それを見ようとはしない。そして、「昔はこうだった」という論点でしか批評できない。川上さんをはじめ、廣岡さんや関根さんは、年齢的な面でプロ球団の監督を務めることはもうないかもしれない。それでも、自分が身を置く世界の進歩や変化はしっかり見ておこうとする。そうした自分の仕事に対する謙虚な姿勢は、先輩から学び、受け継いでいかなければならないものだ。

選手にも同じことが言える。レギュラーとして活躍している選手は、同じように高い実績を残している選手のプレーには注目する。では、ファームでもがいているような若手の動きは参考にもならないかといえば、違う。自分をさらに成長させるヒントは見つけられるものだ。

「あいつは、あのクセが直らないと厳しいな」

そうやって技術力を判断する目だけではない。

「あの選手が一軍でプレーするためには、どこを伸ばせばいいのだろう」

他の選手の長所を探す目を持つことで、自分が新たな取り組みをする時の引き出しにすることができる。前著『コーチング』では、**「言われなくてもわかっている」で片づける部下は大成しない**と書いた。自分の仕事だからこそ、まだまだ知らないことがあるはずだという謙虚な姿勢を持ち、仲間、ライバル、同業他社が何かに取り組もうとしている際には、深い関心を寄せながら観察してみるべきだ。

4章

本物のリーダーとは

監督として8年間、リーダーシップを発揮し、
チームを4度のリーグ優勝へ導いた
指導者・落合博満。
彼が思うリーダー像、指揮官の姿とは。

任せるところは、1ミリも残らず任せ切る

監督を務めて8年間、私が先発投手を決めたのは一度しかない。

就任直後の2004年、開幕戦に川崎憲次郎を先発させた試合だ。つまり、私が監督になってからの2試合目からはすべて、森繁和ヘッドコーチが決めていた。

もう少し詳しく説明すると、先発投手は5、6人で編成され、中5日、6日ごとのローテーションで登板する。そのローテーションの順番をどうするか、故障者や不調のためにファームで再調整させる投手が出た場合、その穴を誰で埋めるのか。また、リリーフ陣には誰を起用し、どんな局面でどの投手を使うのか。すなわち、投手に関するすべての決定権を森コーチに任せていた。ここまで権限委譲していたのは、全12球団の中で私ぐらいかもしれない。

その上で、**「森コーチの采配にすべての責任を負う」のは監督である私の仕事だと思っている。**責任まで押しつけてはいけない。

なぜ、そこまで投手に関しては、森コーチに任せているのか。

その大きな理由は、私が投手部門に関して、専門家ではないということだ。

森コーチは私より1歳下。駒澤大学のエースとして活躍し、卒業時にロッテオリオンズからドラフト1位指名を受けたものの入団せず、社会人の住友金属へ入社。1977年に日本選手権で優勝の原動力となり、西武からドラフト1位指名されて1979年に入団した。私との接点といえば、社会人時代の1978年に、世界選手権大会などでイタリアやオランダに遠征した日本代表でチームメイトになったくらいだ。プロの世界でも同じユニフォームを着たことはない。

ただ、森は黄金時代の西武でプレーしている。監督や球団フロントの要職を歴任して日本球界初のゼネラル・マネージャーと呼ばれた根本陸夫さん（故人）のチーム作りを見てきた経験がある。そして、1988年限りで現役を退いた後も、西武、日本ハム、横浜で投手コーチを務め、1年たりともユニフォームを脱いだ年がなかった。それが森コーチの手腕の高さを何よりも証明していると感じた。

主力投手であり、指導者であり続けた。つまり現場が必要とし続けた人材なのだ。これほどわかりやすい実績はないだろう。

幸運なことに、私が監督就任の要請を受けた時、森は横浜との契約がちょうど切れたところだった。すぐに投手コーチになってほしいと話して快諾をもらい、それから8年間、ずっと一緒にやってもらった。顔は怖いし、言葉遣いが少々乱暴に聞こえることもあるが、選手に対して並々ならぬ愛情を持っているのがよくわかる男だ。

ほどなく投手に関することは森に任せられると感じ、私は投手起用について口を挟むのをやめた。技術面でも気持ちの面でも、投手のことはよくわからないからだ。それに、選手時代に仕えた監督を見ていた印象として、**何でも自分でやらなければ気が済まないと動き回る監督ほど失敗するというものがあった。**

だから、投手に関する全権を森コーチに与えた。初めのうちは先発ローテーションを1週間分くらいは事前に見ていたような気がするが、次第にそうした資料も見なくなった。実は、今日の試合で誰が先発するのかを知らないこともあったぐらいだ。ドラゴンズの先発投手は読みにくいと嘆いていたスポーツ紙の記者もいたようだが、**監督さえ知らない情報が漏れるはずもないだろう。**

ドラゴンズは投手力を前面に押し出して戦い、2010年、2011年のセ・リーグ連覇など球団史上でも特筆すべき成績を残しているが、その土台を築いたのは森コーチである。監督である私が貢献したことがあるとすれば、森をコーチに据え、**すべてを任せたこと**ではないだろうか。

前著『コーチング』を著した際、上に立つ指導者であっても、わからないことは「わからない」と言おうと書いた。もちろん、わからない分野に関して勉強していこうという姿勢が伴わなければいけない。監督としてチームを預かり、その考え方は間違っていなかったと確信している。

コーチにすべてを任せ切る。
しかし、すべての責任を負うのは、
監督である。
それが私の仕事だ。

気心と信頼は別物

先に書いた通り、森コーチと私はドラゴンズを勝たせようという仕事を通して互いの信頼を深めていったという関係だ。

歳も近く同じ時代を活躍してきた同士ではあるが、友人ではなかった。監督になる前から、公私にわたりお互いのことを知っていた間柄、というわけでもない。

そういう人間にすべてを任せているのか。驚きの声を上げる人も多い。

気心の知れたヤツだから、同じ考え方をする人間だからという理由、すなわち人脈や派閥のような感覚でコーチを任せていたら、このような関係にはなれなかったし、チームを勝たせることもできなかったと感じている。

野球の世界に限らず、一般社会でも、気心知れたヤツだけを自分の周りに置きたがる人もいる。仕事というのは、一枚の絵（成果や目標）を完成させようと取り組むものだろう。経験や個性という色をいくつも使いながら、一人でも多くの人に感動してもらえるような絵を描こうとする。すると、そのプロセスにおいては、ひとつでも多くの色が必要だと気づく。自分が持っていない色――あれやこれやと人材を求め、「ここに使う色はこれでいいのか」「もっと違う色で描いたほうがいいのか」と試行錯誤しながら絵を完成させていく。

同じような色はいくつもいらない。

自分にない色（能力）を使う勇気が、絵の完成度を高めてくれる。

話を戻すが、私が森コーチに投手に関するすべてを任せ切っているのは、彼を信頼しているからだ。さらに言えば、これまでのドラゴンズの戦いにおいて、一緒に仕事をしていく中で信頼関係を培ってきたのだ。

自分にない色（能力）を使う勇気が、
絵の完成度を高めてくれる。

「いつもと違う」にどれだけ気づけるか

「監督、よくそんなところまで見ていましたね」

会う人、会う人に私がそう言われたのは、2010年4月27日、ナゴヤドームで行なわれた巨人戦後のことである。

この試合、選手ではなく球審の体調がプレイボール直後からよくなさそうに見えた。すぐにタイムをかけて本人のもとへ足を運び、私は交代を勧めていた。一度は「大丈夫です」と言われたが、次の回には立っているのも辛そうな状態になり、予備審判員と交代することになった。「よく見ていた」というのは、ダグアウトにいる私が**審判員の体調までよく観察していた**ということだろう。

私に言わせれば、何も不思議なことではない。私はグラウンドにいても、選手のように投げたり打ったりするわけではない。ナゴヤドームであれば、いつもダグアウトの同じ場所に腰かけ、試合の流れを追いながら、視野に飛び込んでくるさまざまな光景について、あれやこれやと考えている。

「試合の流れがこの間の対戦に似ている。こういう守り方で逃げ切れるかな」

「向こうのベンチの雰囲気が暗い。首脳陣が何か余計なことを言ったんじゃないか」

「三塁手が足をかばいながら動いている。あれはどこか痛めているな」

審判員の体調に気がついたのも、そうやってグラウンド全体の情報を得ている中でのことだ。それでも、同じプロ野球界で仕事をしている人たちが「よく見ていた」というのだから、私の目のつけどころは少しユニークなのかもしれない。

監督の仕事は、選手を動かしてチームを勝利に導くことだ。すなわち、勝利に結びつくよう采配を振るわけだが、その際に大切なのは、**グラウンドの中にある情報をどれだけ感じ取れるかということだろう。**そこで邪魔になるのが固定観念である。

プロ野球界で現場にいる人なら、選手がユニフォームを着てグラウンドに立ち、審判員が所定の位置でジャッジをしているのは当たり前の光景だ。それを「いつもと同じ」と感じれば、頭はそれについて考えようとはしない。しかし、彼らの表情や動き方を見ている中で、**どうも普段とは違うんじゃないかと感じることができれば、頭がその理由を探ろうと働き出す。**つまり、視覚でとらえている映像は同じでも、**固定観念を取り除けば、さまざまな情報が得られることが多いのだ。**

ドラゴンズの選手は、他球団の選手から「野球をよく知っている」と言われるようだ。私のものの見方を教えたわけではないが、私に見られているうちに、私のような見方をするようになり、それで見えてきたものがあるから見続けようとする。そうやってグラウンドにある情報を拾っていることが、勝利につながり、「野球をよく知っている」という見方もされるようになるのだろう。

もちろん、私自身にも「選手たちに見られている」という意識がある。小さな行動や言葉ひとつで「監督は普段と違うんじゃないか」と感じ取られてしまうから、グラウンドやダグアウトでは互いにいい緊張感を保てていたのではないかと思う。

ビジネスマンの人たちも、意識的にこういうものの見方をしてみると、何か見えてくるものがあるかもしれない。出社した時の職場の様子、同僚の表情や行動、上司のものの言い方――。オフィスの外に出れば、取引先の雰囲気、交渉相手の反応など。当たり前の光景の中に普段と違うものを見つければ、それがビジネスチャンスを連れてくるかもしれない。

ひとつの仕事を続ければ続けるほど、自分の身の回りのことが当たり前に見えてくる。いや、もっと言えば「当たり前」と決めつけ、見なくなる。

しかし、固定観念を取り除いて見てみれば、その中に多くの情報があることを実感できるはずだ。

視覚でとらえている映像は同じでも、
固定観念を取り除けば、
さまざまな情報が得られる。

安定感より停滞感のほうがリスク

私が推し進めてきた「守り勝つ野球」の象徴的な存在と言われているのが、井端弘和と荒木雅博である。私が監督に就任した2004年から6年続けて、井端は遊撃手、荒木は二塁手としてゴールデングラブ賞を手にしている。ゴールデングラブ賞とは守備のベストナインとも呼ばれ、シーズンを通して最も素晴らしい守備力を見せた選手をポジションごとに表彰するものだ。つまり、井端は遊撃手、荒木は二塁手としてプロ野球史に残る実績を上げたことになる。

しかし私は、**二人のポジションを入れ替えた**。

井端を二塁手、荒木を遊撃手にしたのである。

この2つのポジションは、広範囲な守備力が求められるという点では共通しているが、二塁ベースを挟んで、まったく対照的な動きを求められるため、二塁手のエキスパートが遊撃手としても成功するか、遊撃手を経験した者なら二塁手もこなせるか、と聞かれれば無条件に「イエス」とは答えられない。一般社会でいえば、販売の担当者が商品開発に異動する、あるいはその逆という感じか。難なくこなせそうに見えても、実際は難しいものだ。

なぜ、私は井端と荒木のコンバートを決断したのか。二人の技術に関わることは記述を避けるが、そもそも監督に就任したばかりの段階では、井端を二塁手、荒木を遊撃手として起用しようと考え、春季キャンプでもそうしていた。簡単に言えば、**彼らの適性だと判断したからである**。

ただ、私が監督になる前年、2003年は井端が遊撃手、荒木は二塁手としてレギュラーを手にしていた。開幕に向けてオープン戦を戦う中で、私の見た適性を優先するか、二人の経験を生かすか思案した結果、前年のままに井端を遊撃手、荒木を二塁手として起用することにしたのだ。そして、彼らはプロ野球界を代表する守備力で活躍し、「アライバコンビ」とファンやメディアから注目を浴びた。その陰で、私は二人をコンバートするタイミングを計っていたのだが、他の戦力整備を優先させたりしていたため、とうとう5年が過ぎてしまった。

2009年、いよいよコンバートを断行しようとしたが、井端も荒木も春季キャンプ中に故障などがあったために見送り、翌2010年も荒木が故障で開幕に間に合わなかったため、緊急避難的に井端を遊撃手で起用した。それでも、荒木が戦列に復帰すると遊撃手で起用し、井端は二塁へ回した。

守備の名手をあえてコンバートした大きな理由のひとつは、井端と荒木の守備に対する意識を高め、より高い目標を持ってもらうためだ。

若い選手はプロ野球という世界に〝慣れる〟ことが肝心なのだが、数年にわたって実績を残しているレギュラークラスの選手からは、**〝慣れによる停滞〟を取り除かなければいけない。**もちろん、こうした私の考えを二人には話し、「挑戦したい」という意思を確認した上でコンバートに踏み切っている。解説者をはじめ、このコンバートに疑問を呈する人はいたと思う。だが、監督という立場でドラゴンズの2、3年先を考えると、井端の後釜に据えられる遊撃手が見当たらなかった。そこに荒木を据えて2、3年後も万全にしておきたいという事情もあったわけである。

「無難に戦うのなら、二人のポジションはそのままにしておくのが一番いいのだろう。しかし、近い将来にチームが困ったことになると感じたのなら、思い切った手を打たなければならない」

そうやって私自身が数年間も踏ん切りがつかなかったように、すでに実績を上げている人材の配置転換には大きなリスクも伴う。それでも、本人たちの将来やチームの事情を考慮して断行するのだから、1、2年は上手くいかないことを覚悟しなければならないし、決断した人間（私）がすべての責任を負わなければいけない。

実際、2010年は遊撃手の荒木が自己最多の20失策。井端はシーズン前半に体調不良でリタイアし、若手の堂上直倫を二塁手として起用することになった。当然、二人とも7年連続のゴールデングラブ賞を逃している。4年ぶりのセ・リーグ優勝を成し遂げたものの、井端と荒木の心中は穏やかではなかっただろう。

私は彼らに同情はしない。チームの勝ち負けの責任はすべて監督にあるが、自分が残した数字の責任は、選手本人にあるからだ。ただ、それで私が「自分が納得して取り組んだのだから、しっかりやれ」と言ってしまったら身も蓋《ふた》もない。いわゆる「ハシゴを外した」ことになるだろう。それだけは拙い。あくまでコンバートを断行したのは私なのだから、上手くいかなかったという現実から逃げず、次はどうするのかを考えなければならない。私自身は、再コンバート、つまり、ポジションを元に戻すことは考えなかった。むしろ、井端も荒木も、新しいことに取り組むのは簡単ではないと実感しただろう。それが次なる成長への糧になり、結果としてチームのプラスに作用してくれればいい。

慣れている安定感を前面に出すか、慣れによる停滞を取り除くか。

組織を活性化するための配置転換は難しいものだし、すぐに結果が出るとは限らない。だからこそ、指揮官はしっかりと決断し、実行したのならば最後まで責任を取るべきだろう。

ちなみに、2011年も遊撃手としてプレーしている荒木だが、この先、二塁手に戻るようなことがあれば、間違いなく以前を遥かに超えたプレーを見せるはずだ。遊撃手を経験したことにより、荒木の守備力は「上手い」から「凄い」というレベルに進化しているのだ。

レギュラー争いは、選手同士で決着をつける

私の持論だが、**絶対的なレギュラーは、監督やコーチが決めるものではない。**春季キャンプから選手同士が必死に競い合い、誰の目から見てもレギュラーという存在が決まる。レギュラー争いの決着は、選手同士でつけるものなのだ。

２００９年のシーズンに、藤井淳志という外野手が台頭した。入団1年目から一軍出場している〝一軍半〟の戦力だったが、２００９年はオープン戦で目立つ数字を残して開幕を迎えると、１１４試合に出場して打率2割9分9厘、10本塁打、15盗塁という成績をマーク。ペナントレース終盤にはケガで戦列を離れたが、クライマックス・シリーズにも出場した。

藤井本人も周囲の人たちも、「これでレギュラー・ポジションを勝ち取った」と感じたかもしれない。だが、強い肩や俊足など武器は備えているものの、勝負どころでの打球判断に不安を感じていた私は、2009年に入団した野本圭、2010年に入団した大島洋平といった外野手を藤井と競わせ、さらにディオニス・セサルという外国人も獲得。藤井が彼らを蹴散らせば、文句なしでポジションを勝ち取るだろうと見ていた。

だが、勝負はつかなかった。

2010年シーズンは、故障した荒木雅博が開幕に間に合わなかったことで、井端弘和を二塁から遊撃に回し、内野も守れるセサルに二塁を任せた。外野のライバルは一人減ったのだが、開幕戦では大島をセンター、野本をライトで起用した。

彼らの勝負が開幕までにつかなかった以上、ペナントレースでも競争を続けてもらうしかない。対戦相手や選手の調子のよし悪しを考慮しながら複数の選手を起用し、競争によって誰がレギュラーなのかという答えを出してくれるのを待つことにした。

結局、2010年はレギュラーが決まらなかった。

藤井が前年の経験も生かしてライバルに引導を渡すこともなかったし、野本や大島ら若手の中から絶対的な存在も出てこなかった。

このように、一定の実績を残した藤井にポジションを与えなかったこともあり、私はベテランや経験を重んじる、言い換えれば若手をなかなか信用しない指導者だと言われているようである。

私自身はどう言われても構わない。ただ、人を使うということは、経験を重んじるとか若手を信用してやるとか、そんな簡単な言葉で片づけられるものではない。少なくともドラゴンズのレギュラーは、厳しい競争を勝ち抜いてレギュラーになり、高い実績を残し続けている者ばかりだ。**経験や信頼というよりも、「誰が見てもレギュラーにする」という答えを出したのである。**だからこそ、そうしたレギュラーからポジションを奪うためには、「誰が見ても、おまえがあいつを抜き去った」という答えを出してもらうしかない。もう一度書いておく。その答えは私やコーチの主観的判断ではなく、選手同士で出すのである。

2011年は、ジョエル・グスマンとフェリックス・カラスコという外国人を獲得した。グスマンは27歳、カラスコは24歳と若く、3年目を迎えた31歳のトニー・ブランコの刺激にしたいという意味合いもあるのだが、最も大きな目的は、レギュラーになり切れていない外野手たちに自分自身と向き合ってもらうことだった。

「どうして監督は外国人なんか獲るんだよ」

そう思っている選手がほとんどかもしれない。私はこう答える。

「おまえたちが去年の競争で答えを出せなかったからだよ。競争相手はどんどん増えていくんだよ」

2011年のシーズンは、そうした私の考え方を、ようやく選手たちも理解したようである。

前年以上に目の色を変えてプレーしているのに加え、自分は何を求められているのかを、自分たち自身で考えられるようになってきた。

5月初旬に平田良介という6年目の外野手を一軍に呼ぶと、セ・パ交流戦で2試合連続サヨナラ本塁打を放つなどバットで存在感を示し、6月の月間MVPを受賞した。他の選手の不振もあって五番にも座り、レギュラーに近い位置まで漕ぎ着けたと思う。

こうやって必死に這い上がってきた選手は強い。レギュラーになっても安泰だと思わず、控えに甘んじている若手選手よりも自分の体を鍛え抜き、絶対にレギュラーの座を明け渡すものかとプレーするのだ。**私の仕事は、それをじっくりと観察し、力を発揮できそうな場面で起用してやることだ。**それでポジションをつかんでくれれば、監督やコーチだって嬉しいものである。

スポーツの世界では、「世代交代」という言葉を簡単に使う人がいるが、それは監督やコーチが判断して進めるものではなく、選手同士が競争して決めるものだ。そういうチームにはしっかりとした土台が築かれ、ちょっとやそっとのことでは倒れない。2010年のドラゴンズは、7月に入っても首位チームから8ゲーム差をつけられていた。それでも、選手たちは「シーズン終盤になれば、うちがトップに立っているよ」と、他球団の選手に言っていたそうである。強がりではなく、そうした自信を持って戦っているのだ。その自信が2011年の連覇にもつながった。

必死に競争した選手は心身ともにタフだ。そんな選手の多いチームが厳しい戦いを制するのだと思う。私たち指導者は、その競争を邪魔しなければいいのだ。

現場の長は、「いつも」ではなく「たまに」見よ

コーチングの基本は「見ているだけ」だと、前著『コーチング』で述べた。監督を続けていると、この考え方にも応用編があると実感している。

新たに入団してきた新人選手や成長途上の選手については、コーチと私の間で「本人がアドバイスを求めてきたら、こう指導しよう」という方針は決めてある。その上で、コーチは毎日の練習をじっくり観察し、必要があれば選手にアドバイスをしていく。では、現場の責任者である私はどうするか。

「たまにしか見ない」ことが大切なのではないかと思っている。

スポーツの世界でもビジネスの世界でも共通しているのは、現場の長がいる時は組織全体の雰囲気がピリッとすることだろう。普段はなあなあでやっているという意味ではない。ドラゴンズの練習は、

私が姿を見せなくてもしっかり行なわれていた。だが、第三者からは「監督がいるのといないのとでは、練習の雰囲気がまったく違いますね」と言われる。これは、どのチームでも、誰が監督でも同じようなものなのだと思う。

私があまり練習を見ないようにしたのは、そうしたピリピリした雰囲気を無用に作りたくないからだ。私が練習を見に行くと、選手よりもコーチに緊張感が走り、普段より練習時間が長くなってしまう。そんな状況が続くと、選手もコーチも身が持たないだろう。さらに私は、練習が終わったあともコーチ陣に「今日はどうだった?」といった類の質問はしない。

「やるべきことさえやってくれれば、その方法やかける時間は任せるよ」

そう伝えておかないと、私が現場にいなければ何も判断できなくなってしまう。その代わり、練習に出ていった時は遠慮せず徹底的にやる。

「おまえが好きなだけ打ち込んで構わないよ。時間を気にせず、納得するまでやりなさい」

選手にはそう言葉をかけ、チーム付のマネージャーに練習場を使える時間を確認し、必要があれば延長してもらう。選手もコーチも、私の姿を見つけると「今日の練習は長くなるな」と覚悟するらしい。

それでいいのではないか。

私が現場にいるのか、いないのかを練習のメリハリにすればいいし、選手たちが自分自身で責任を持って練習に取り組むことが大切なのだから。

ただ、選手はしっかりと練習しながらも、「取り組んでいる練習は自分に合っているのか」とか「練習の成果は出ているのか」と感じ、私にチェックしてもらいたいと考えることがあるかもしれない。私は選手のバッティングフォームが以前に比べてどう変化したのか、体の使い方がどうなっているのかを見ることになる。その際、変わるべき部分と変わってはいけない部分を見極めるためには、毎日見ているよりも何日かおきに見たほうがいいということに気づいた。

普段の練習ではコーチがしっかり観察しているから、選手が私にアドバイスを求めてくるのはフォームの修正など大きなテーマであるケースが多い。つまり、見落としがあったり、間違えたアドバイスをすることが許されない状況なのだ。それだけ**責任の重いアドバイスをするには、その選手を四六時中見ている目よりも、たまに見ている視点が必要なのではないかと感じている。**

このように、現場に無用な緊張感を走らせないためにも、自分が的確なアドバイスをできるようにするためにも、現場の長は一定の時間をおいて現場を見ることが大切だと思う。

「うちの監督はあまり練習に来ないよな。どこかで遊んでいるんだろう」

選手からそう思われている監督でいいのだ。

変わるべき部分と
変わってはいけない部分を
見極めるためには、
毎日よりも、
何日かおきに見たほうがいい。

データに使われるな。データを使え

パソコンや通信設備の発達により、一般社会でもあらゆるデータが手軽に引き出せるようになった。現代人にとってデータは身近な存在になっている。ここで考えなければいけないのは、データとはあくまで人間が使いこなすものである、ということだ。自分自身の仕事や学業を省みて、データに使われている状況になっている人はいないだろうか。

プロ野球中継を見れば、ある打者が打席に入る度、対戦する投手やチームとの成績、月別打率などが〝画面狭し〟と表示される。食うか食われるか、プロの勝負を堪能したいと思っている人には、やや興ざめしてしまうくらいのデータ量ではないか。

もちろん、対戦相手を分析しておくことは重要だから、ドラゴンズでも他のどのチームにも負けないくらいデータは蓄積している。相手投手が代われば、スコアラーがすぐにデータを用意し、選手たちも打席に向かう前にそれを見る。そうやってデータを利用していることに、私はいちいち口を挟まない。時代の流れという側面もあると考えているからだ。

しかし、一方ではこんな思いも抱いている。

「データを見るのはいいが、自分の野球がデータ頼りになってはいないのかな。人間と人間がぶつかり合う以上、最も信頼すべきは自分自身の感性なのだから……」

私の現役時代、あるスポーツ番組で『カモと苦手』というコーナーがあった。シーズンを通した対戦成績から得意な投手と苦手な投手を割り出し、その理由を打者に聞くという内容だ。私のところへも取材に来た。そこで、（私が）苦手とされる投手のリストを見せられた。データに基づくリストだったが、「この投手には抑えられたな」と納得できる名前は一人もいなかった。

「この投手からはもっと打っていると思っていたけどな……。対戦の内容も調べてくれないか」

そう話し、しばらくして届けられた詳細な対戦内容を見ると、確かにアウトにはなっているが、完璧に打ち取られたのはわずかで、あとはいい当たりが野手の正面を突いたものが多かった。さらに、前年、2年前も調べてもらうと、私はその投手を圧倒的に打ち込んでいたのである。

「たった1シーズンの対戦結果、それも表面的な数字だけでは、相手投手が得意なのか苦手なのかはわかるわけがない」

その時から、私はこうしたデータを重視しなくなった。その後、現役を引退して評論家をしていた時も、メディアから「データの裏づけ」としてのコメントを依頼されることがあったが、私はこう返した。

「ある投手との対戦成績を分析しろといっても、その日の投手のコンディションは違うし、気温や湿度によって変化球のキレも変わってくる。屋外の球場ならば風向きも考慮しなければ、完璧なデータにはならないんじゃないか」

ある種の条件を入力すれば、パソコンが瞬時に弾き出してくれる。そのデータを完全に否定するつもりはない。ただ、データとはあくまで参考にするものであり、それを信頼し切ったのではデータに翻弄されるだけだ。大切なのは、どれだけデータを持っているかではなく、**自分自身がどれだけのデータを含めた分析力を備えているか**だろう。

例えば、『顧客獲得の黄金マニュアル』なるデータがあったとしよう。そこに書かれているセールストークを一言一句間違えなければ、必ず契約は取れるだろうか。これまでの経験則で、契約を取りやすくはなるだろうが、誰が誰に対して使っても契約が成立するという絶対的なものではないはずだ。

本当に大切なのは、契約のテーブルに着いている営業マンが、相手の要望や心持ちをつぶさに観察し、その気にさせるテクニックではないか。ベテラン営業マンなら「この人、今日は虫の居所が悪そうだな」と感じた途端、契約に関する話を止め、相手の話を聞くだけ聞いて帰るだろう。今日はあえて空振りすることで、後日の契約成立につなげようとするのではないか。

プロ野球選手も同じだ。

黙々とデータに目を通している選手が一流になるのではなく、**実際に対戦した投手の印象を自分なりに整理し、「こういう場面ならこうしよう」と自分の方法論を確立しておく選手が、成績を残していくのである。**その上でスコアラーから『最近5試合のデータ』などを見せてもらえば、自分の感性の引き出しも活用して、その場の対処法を編み出していける。どんな世界にも「生き字引」と呼ばれる人がいるが、せっせとデータを集める前に、自分自身が〝データ〟になろうと努力すべきではないか。

情報管理こそ監督の仕事

霞が関の官僚たちの経費の使い方や天下りなどが世間から批判の対象とされ、企業でも法令遵守に基づく情報公開が一般的になった。その一方で、個人情報保護法によってプライベートな情報はできる限り秘匿される傾向にある。インターネットの検索エンジンを使えば世界中の情報が集められる時代になり、あらためて情報管理の是非が問われている。

プロ野球界でも、かつては選手名鑑に成績やプロフィールだけではなく、家族構成や年齢、自家用車の車種、自宅の住所まであらゆる情報が掲載されていた。しかし、最近では選手のキャリアに関わる部分だけになっている。それでも、**肝心な情報は守られていない**と感じている。

私が監督に就任してから、ドラゴンズでは選手のケガや故障に関する情報は徹底して管理してきたし、試合中のブルペンをテレビ中継のカメラが映すことも禁じていた。だが、これらについてはメディアから不満の声も上がっていたようだ。

プロ野球選手にとって体は商売道具であり、それがどういう状態にあるのかは最重要情報である。

何年かプレーを続けていれば、体のどこかに痛みを抱えている選手がほとんどで、それを隠しながら、対戦相手に悟られないようにしながらプレーしているのが実情である。つまり、自分のコンディションを対戦相手に知られれば、それだけ目の前の戦いで不利になるわけだ。レギュラー争いの只中にいる選手ならば、チームメイトにさえ知られたくないのが本音だろう。現場の責任者である私は選手を守るのが仕事なのだから、個々の選手のコンディションに関する情報は絶対に外部に漏らしてはいけないと考えている。

それに対して、あるメディアの人間はこう言った。

「ファンには、応援している選手の情報を知る権利がある。私たちにはそれを伝える義務がある」

それが選手のコンディションに関する情報を公開する理由にはならないと思う。考えてみてほしい。ドラゴンズの選手が試合中のプレーで足首を捻挫したとしよう。まともにベースランニングができる状態ではないが、何とかバットを振ることはできる。トレーナーから報告を受けた私がその選手と話すと、「試合には出たい」と言い、私も「それなら頑張ってみろ」と声をかける。その翌日、私が記者に向かって「あいつの捻挫はちょっと深刻でね。本人は試合に出ると言っているけど、無理してほしくないんだよな」と〝情報公開〟してしまったら、その選手はどういう気持ちになるだろう。

手術や入院が必要なケガをした時、テレビやスポーツ紙に『全治6か月』や『今季絶望』という表現で自分の状態を報じられた選手は、どんな心境になるか考えてみたことはあるだろうか。ファンから「頑張ってください」という手紙が殺到して嬉しいと思うだろうか。むしろ、元気になってグラウンドに戻った時、大きな拍手で迎えてもらえればと感じているのではないか。

そうやって**選手の心情まで思いを巡らせば、コンディションに関する情報の公開は傷口に塩を塗り込むようなものだ**と言えるだろう。少なくとも、そういった行為を監督である私がすべきではない。ならば、試合中のブルペンを映すことくらい、選手のマイナスにはならないだろう、という声が聞こえてくる。

「ただ今、ドラゴンズのブルペンが映っております。投げているのは浅尾と河原ですね。あれ、岩瀬が準備していませんね」

そう実況のアナウンサーが言うと、解説者が続ける。

「この場面で投球練習をしていないということは、岩瀬に何かあったんじゃないでしょうか」

これもチームにとって大きなマイナスだ。

実際、9回にセーブがつく場面でも岩瀬が登板しないことはある。毎日のように準備をして、厳しい場面で投げ続けたら体が持たないだろうと、「今日はどんな展開になっても岩瀬は使わない」と決め、私は岩瀬を宿舎や自宅に帰してしまうことだってあったのだ。しかし、対戦相手には知られたくないから、25人のベンチ入りメンバーには岩瀬の名前も入れておく。それも勝つための戦略のひとつだが、その試合でブルペンを映されてしまったら元も子もない。

情報管理は、選手のため、勝利のため。それはすべてファンのためでもある。

選手が潰れて喜ぶファンはいない。チームが負け続けて喜ぶファンはいない。


こうした事情を書いても、まだ私の情報管理はファンやメディアの要望に応えていないことになるのだろうか。

情報とは、受け取る側の都合だけではなく、発信する側の事情も考慮されるべきだと思っている。この情報を公開するのか隠すのか、その線引きは実に難しいものだと理解しているつもりだが、メディアが「ファンの要望」を盾にするのなら、私はあくまで選手を守りたい。選手のコンディションはもちろんだが、パ・リーグが翌日の先発投手を予告しているのも、ファンサービスのように見えて、実は「明日の先発は誰だろう」と予想する楽しみを奪っているだけなのではないかと思う。

どんな世界でも、**情報管理についてはメリットとデメリットを慎重に検討し、何のために、誰のために、という目的を明確にした上で公開すべきではないか。**必要以上のことまで目や耳に入ってくる社会になってしまったら（すでになっているのかもしれないが）、人間は想像力や感性を失っていくのではないかと懸念している。

プロ野球選手にとって
体は商売道具であり、
それがどういう状態にあるのかは
最重要情報である。

監督は嫌われ役でいい。嫌われ役がいい

プロ野球球団が実施している春と秋のキャンプは、まったく意味合いの違うものだ。春はペナントレース開幕に向けて調整していくのが最大の目的だが、秋は練習が必要な選手だけが球団ないし監督から指名されて参加する。秋は、1年間プレーしたレギュラークラスの選手にとって、**練習よりも疲労を取ることが大切な時期**だからである。

セ・リーグ優勝を果たした2004年、日本シリーズ後の秋季キャンプに、私は山本昌や川上憲伸ら主力投手を参加させた。監督に指名された以上は、休みたくてもキャンプに参加しなければならない。

いったい監督は何を考えているんだ。疲労を取らねばならない秋に、主力投手をキャンプに呼びつけるなんて……。

心中穏やかではないだろう山本や川上にキャンプに呼んだ理由は説明せず、さらに練習メニューも与えなかった。好きにしていいぞ、と。2、3日はランニングなどをしていたのだと思うが、さすがに数日経つと、「自分たちがなぜ秋季キャンプに呼ばれたのか」と聞きに来た。そこで初めて、私は理由を話したのだ。

実は、山本や川上は練習させるために呼んだのではない。ゆっくり過ごしていてくれればいいと思っていたのだ。ただ、名古屋に残っているとテレビ出演が立て込んだり、後援会の人たちの集まりにも顔を出さなければならない。それは悪いことではないのだが、日本シリーズまで目いっぱい投げて、シーズンオフも引っ張りだこになってしまったら、それこそ疲れを溜めたまま翌シーズンを迎えることになってしまう。**ベテランにとって、シーズン中の疲れをしっかり抜くことは、選手生命に直結する大事な仕事でもある。**監督としては、優勝したシーズンオフに選手が疲れを引きずってしまうのだけは避けたい。ならば、私が強引にキャンプに連れていこう。そうしてしまえば、テレビ番組や後援会の集まりに出られなくても仕方がないと思われるだろう。

私は現役時代に後援会を持たなかった。それは私がへそ曲がりだからではない。応援してくれるファンは多ければ多いほど心強いのだが、応援してもらっている御礼はシーズンオフにしかできない。しかし、オフは自分のペースで休養を取りたかったため、あえてお断りしていたのである。

自分の現役時代の話もしつつ、山本や川上には納得してもらった。テレビ局や後援会の人たちからは恨まれるかもしれないが、それも監督の仕事なのだと割り切っていた。

テレビや雑誌の取材はファンサービスの一環だからと、球団から依頼されるケースも多いが、監督が秋季キャンプにベテランを連れていってしまったら、それもままならない。表現は悪いかもしれないが、やり方次第では球団の営業部門からも嫌われる可能性があるのだ。それでも、連れていった。

また、選手のコンディションに関する情報や先発ローテーションが外部に漏れないようにしたり、試合中のブルペンをテレビカメラで映させないことなども、メディアから「秘密主義」だと批判されるのを覚悟してやっていた。

もっと言えば、監督は選手の人事権も握っている。ゆえに、いくら優勝したからといって、試合に使ってもらえなかった選手は「いい監督だ」などとは思わないだろう。

本来なら味方であるはずのファンやメディア、場合によっては選手をはじめ、**身内からも嫌われるのが監督という仕事なのだと思う。**しかし、嫌われるのをためらっていたら、本当に強いチームは作れない。本当に強い選手は育たない。ひいては、ファンの皆さんが喜ぶ勝利も得られないのではないか。

監督1年目だった2004年の秋季キャンプに主力選手を連れていき、私なりのやり方を示したのも、強いチームを作っていくための種まきだったのである。

球団の財産は選手だ。ならば、どんなことをしてでも選手を守らなければいけない。企業経営者と話をしても、**常に考えているのは「どうやって利益を上げようか」ではなく、「いかに社員とその家族の生活を守っていくか」である。**その目的を達成するためなら、自分は嫌われたって恨まれたって構わない。それが監督を引き受けた時の覚悟であり、チームを指揮している間、第一に考えていたことである。

身内からも嫌われるのが
監督という仕事なのだと思う。
嫌われるのをためらっていたら、
本当に強いチームは作れない。
本当に強い選手は育たない。

チームに「チームリーダー」はいらない

リーダーという外来語の意味を辞書で引いてみると、指導者、先駆者、先達、首領とある。日本の総理大臣や企業のトップ、ドラゴンズというチームにおいては私もリーダーということになるのだろう。つまり、**リーダーというのは〝その立場にある人〟のことを指す言葉であり、誰かの評価によって決まるものではない**。

だが、最近のスポーツメディアは「チームリーダー」という表現を用いて特定の選手を祭り上げる。あるいは、なかなか好成績を上げられないチームを取り上げて「チームリーダーが不在」と結論づけたりする。

学生野球で最上級生が、あるいはアマチュアのチームでまとめ役としてのキャプテンがいるのはわかる。しかし、個人が球団と契約しているプロのチームにキャプテンという役割を作る必要性はあるのだろうか。ましてや、球団や監督から与えられた正式な役職ではない「チームリーダー」など、何の意味があるのだろう。

チームリーダーと呼ばれている選手を見ていくと、おおよそ実績のあるベテランで、冷静な発言や行動ができることに加え、世間やメディアから好感を持たれているという要素がある。当の本人は「僕はチームリーダーとして……」という発言はしていないのに、インタビュアーからは「チームリーダーとして、どんな戦いを目指していきますか?」などと聞かれ、そこでの答えが選手の総意であるかのように書き立てられる。要は、メディアが報道する際に「彼がそう言うのだからそうなのだ」と断じることのできる便利な存在だろう。

だが、スポーツ界でそうした報道が日常化すると、選手たちも「チームリーダーは誰なのか」と意識してしまうようになる。メディアが勝手に報じているだけならいいが、選手たちが意識すると厄介である。なぜなら、**「チームリーダー」という〝亡霊〟が、選手個々の自立心を奪うことがある**からだ。

相手に1点のリードを許した展開で、同点、逆転を目指して一死二塁のチャンスを築く。そこで、自分に打順が巡ってきた場面を思い浮かべてほしい。

「ここは自分で決めようと気負うのではなく、次につなごうとする姿勢も大切だ」

そうやってカウント2ストライクに追い込まれてもファウルで粘り、何とかセカンドゴロ（進塁打）で走者を三塁に進めてくれればチャンスは広がる。ところが、「ここはチームリーダーが決めてくれるはずだ」と考え、安易に右方向を狙ったバッティングで走者を三塁に進めても、不思議なもので押せ押せムードにはならない。むしろ、「自分で決めてやる」と気負い、結果的に走者は進められなくても、鋭い当たりのサードゴロを打ってくれたほうが、次に期待できるものだろう。

このように最近の若い選手は、巷でチームリーダーと言われている選手に敬意を表し、「あの人についていけば」とか「あの人を中心に」といった発言をするが、それが**勝負のかかった場面での依存心になってしまう**ケースが多い。「僕はあの人のようにはなれません」などと謙遜しているのを見ると、厳しい勝負の世界で生きていけるのだろうかと老婆心が覗いてしまう。

どんな世界でも、若手は先輩の背中を見て成長していく。色々と面倒を見てくれた先輩に憧れ、「あの人のようになろう」と努力を続けて一人前になっていくものだろう。

そして、いつかは先輩の背中を追い越していく。

チームリーダーという存在によって、競争心や自立心が奪われていくことは、組織においてはリスク以外の何物でもない。気づけば全員そのまま歳を取ってしまっていた……では、チームにも選手一人ひとりにとっても、取り返しがつかないことになる。

組織に必要なのはチームリーダーではなく、個々の自立心と競争心、そこから生まれる闘志ではないか。年齢、性別に関係なく、メンバーの一人ひとりが自立心を持ち、しっかりと行動できることが強固な組織力を築いていく。つまり、一人ひとりが自分なりのリーダーシップを備えていれば、チームリーダーなる存在は必要ないと考えている。

チームリーダーという存在によって、
競争心や自立心が
奪われていくことは、
組織においては
リスク以外の何物でもない。

リーダーは部下に腹の中を読まれるな

私が45歳までプレーできた理由は何か。いくつかあるのだが、最も大きかったのは対戦相手が落合博満という選手の考え方を分析し切れなかったこと。**私の腹の中を読めなかったことだ。**

私の打撃の特性は「外角のボールをライトスタンドに放り込んでしまうこと」だと言われてきた。しかし、当の本人に外角のボールをライトスタンドまで運んだ記憶はない。そもそも、日本人の体格やパワーでは外角のボールを完璧に打ちこなすのは困難だと考えていた私は、いかに真ん中から内角に投げ込まれたボールをセンターへ打ち返せるかをテーマに打撃を追求してきた。確かにライト方向への本塁打は多かったが、それは真ん中から内角寄りに投げ込まれたボールにも力負けせず、押し込むように、またファウルにならないように打ち返す技術を身につけたからだ。

では、なぜ私が外角のボールを打っていると思われたのか。それは、各球団のスコアラーがそういうデータを作っていたからだと思う。スコアラーとは、すべての試合で投手が投げ込んだ球種、球速、コース、打者が打ち返した方向などを克明に記録する。野球をしっかりと見られる目が必要だから、大半は現役を引退した〝元プロ選手〟が務めている仕事である。だが**プロの目には落とし穴もある。**

私が真ん中から内角寄りのボールをライトスタンドまで運んでも、「内角のボールをライトスタンドまで運べるわけがない」と考え、コースを真ん中あたりと記録してしまう。そうやって、私が内角寄りのボールをライトスタンドに本塁打したというデータは、どの球団にもなかった。現在のようにビデオ機材が発達していたら、画像を見直して訂正されたのかもしれないが。

実際、私が1試合に3三振を奪われているようなケースでは、外角にズバッと投げ込まれたボールをことごとく空振りしている。また、年齢を重ねるごとに動体視力は衰えてくるので、自分から遠い位置、すなわち外角のボールへの対応力は低下していく。反対に、内角のボールというのは、体をクルッと回転させる技術だけで打ち返すことができるのだ。私に限らず、打者にはそうした傾向があるにもかかわらず、ライトへの本塁打が多いというだけで「落合は外角に強い」と〝誤解〟されていた。簡単に書けば、その誤解が20年間も続いた結果、私は45歳までプレーできたのである。

これは私個人の〝企業秘密〟だから、現役を引退するまで決して口外しなかった。妻や息子にも話したことはないはずだ。引退後、若い選手から「落合さんはどうやって外角のボールをライトスタンドまで持っていくんですか」とよく聞かれた。私は、その球団の投手コーチを呼んでこう言う。

「現役時代は、俺とよく対戦したよな。じゃあ、俺に外角のボールをホームランにされたことはあった？」

その投手コーチは、しばらく考えると、「そういえば記憶にないな。僕は打たれていないかもしれません」と返してくる。

「今だから言えるけど、それが真実。日本人で外角のボールをライトスタンドまで運べる選手なんて、そうはいないんだよ」

私に言われた選手は、目を丸くしていたものだ。

現役時代から、私がポーカーフェイスに無言を貫いてきたのは、こうした理由もある。外角のボールで三振に打ち取られても「やられた」という表情をせず、本塁打を放って「どんなボールでしたか？」とインタビューを受ければ「真ん中のストレートだろう」と、とぼけておく。それは、1年でも長く現役を続けるための自己防衛、ある種の自己演出でもある。これも**プロの戦術なのだ。**そういう意味では、最近の選手はインタビューにも随分と真正直に答えているという印象だ。時折、「それで自分を守れるのかな」と感じてしまう。

現役時代はそうやって自分の腹の中を見せなければよかったが、**監督という立場になれば、絶対に守秘しなければならないことが個人からチームのレベルへと広がる。**しかも、**対外的なことだけではなく、自軍のコーチや選手にも読まれてはいけない部分もあると痛感した。**ビジネスマンも同じだと思う。経営者なら、このことを心から理解しているだろう。

例えば、春季キャンプで監督が「全員で一からポジションを争ってもらいます」とメディアに向けて言ったとしよう。しかし、本当にそう考えている監督などいない。前年の成績、秋季キャンプの成長ぶりをもとに、「今年はこういう布陣で戦っていこう」という青写真は描いているものだ。それがなければ強いチームを作ることなどできないし、ペナントレースを勝ち進んでいくのも難しい。

だが、その青写真が選手にわかってしまったら、自分の名前がないと知った選手はモチベーションを保てなくなってしまう。当初の青写真になかった選手が予想以上に成長したり、その勢いのままレギュラーになってしまうという〝嬉しい誤算〟が起こる場合もあるのだから、なおのこと監督は腹の中を選手に知られてはいけないだろう。

さらに、「監督は何を考えて、やろうとしているのか」を腹の底までコーチに読まれると、それに同調するような行動を取る、あまり使いたくない表現だが、監督にすり寄ってくるコーチを生み出してしまう。こういうタイプの人間は、どんな組織にもいるはずだ。選手のことを第一に考えず、私の顔色ばかり見ているようなコーチを作ってしまったら、チームにとっては大きなマイナスを生む。

本当に優秀なコーチは、私が公言している方針を理解した上で、次に起こりそうな事態を想定して動く。そして、選手から決して目を離さない。

コーチの見るべき方向は、監督の顔色ではなく、現場であり、選手だ。

このように、選手ならば自分の身を守るために、監督は選手のモチベーションを保つため、またコーチに緊張感を持って仕事をしてもらうためにも、自分の腹の中を読まれてはいけない。

それがプロフェッショナルの仕事なのである。

自分の腹の中を
読まれてはいけない。
それがプロフェッショナルの
仕事なのである。

できる・できない、両方がわかるリーダーになれ

「毎シーズンAクラス（3位以上）に入れるチームを作ることができた要因は何ですか？」

そう問われた時、私が唯一はっきりと答えられるのは**「選手時代に下積みを経験し、なおかつトップに立ったこともあるから」**である。

日本のプロ野球界では、いわゆる「野球エリート」と呼ばれる人が監督になるケースが多い。長嶋茂雄さんや王貞治さんに代表されるように、高校・大学時代から豊かな将来性を嘱望され、注目された中でプロ入りすると、期待に違わぬ活躍を見せてスターとなる。現役を退く際にも「近い将来には監督に」という期待を寄せられ、ほどなく監督に就任するという野球人生だ。

このタイプの監督は、ドラフト1位など高い評価で獲得した選手をしっかりとレギュラーに仕上げていく。時にはポジションを空けてレギュラーに据え、一軍で実戦を経験させながら一人前にしていく。ただ、その一方ではドラフト下位で入団してくるような無名の選手を育てるのが得意ではない。無理もない。自分自身が潜在能力に恵まれ、順風満帆な野球人生を過ごしてきたゆえ、〝できない人の気持ち〟が理解できないのだ。

「プロに入ってきたんだから、そんなことくらいはできるだろう」

そういう視点だと、できない選手が「能力がない」「努力をしていない」と見えてしまう。野球界では「名選手、名監督にあらず」と言われていた時代があったが、その原因はまさにこういうことだったのだと思う。長嶋さんが監督1年目に球団史上初の最下位になった時、「四番に長嶋がいない」と漏らしたという。これこそ「何でもできた人」ゆえの悩みだったのではないか。

そんなスター監督とは正反対に、選手時代には高い実績を上げられなかったものの、若くして指導者の道に入り、コツコツと経験を積み重ねて監督に就任する人もいる。コーチや二軍監督を経験していれば、先に書いた〝できない人の気持ち〟は手に取るように理解できるから、若い選手を厳しさの中から育てていく手腕に長けている。人当たりがよく、辛抱強さも備えていることで、チームの風通しもよくなることが多い。ところが、このタイプの監督は主力選手、すなわち〝できる人の思い〟をなかなか理解できない。人によっては、スター選手に嫉妬心を抱いて無用な衝突を起こしたりする。そして、ベテランから若手に切り替えるタイミングを間違えることもある。

私は現役時代に7人の監督の下でプレーし、こうした印象を持っていた。そして、**自分自身がどちらのタイプでもないことが、指導者になった時には生かせるのではないか**と考えていた。

高校時代は先輩からの鉄拳指導が嫌で入退部を繰り返し、大学は中途退学。社会人の東芝府中も当時は強豪チームではなかったから、プロ入りできること自体を「儲けものだ」と考えているような選手だった。また、プロ野球選手になれば、すぐにクビになっても〝元プロ野球選手〟になれる。残った契約金で飲食店でも開けば、野球の好きな人は集まってくれるかもしれないなどと考えているような選手だったのである。そして、2年間は一軍とファームを行ったり来たり。そうした下積みを経験したのち、三冠王を3回手にしてプロ野球界のトップにも立った。

つまり「できない人の気持ち」は、若い頃の私自身の気持ちそのものである。

そして、チームを背負う主力選手の思いもまた、存分に味わってきているのだ。

こうした経験を経て監督になっているから、ドラフト1位だからという理由だけでポジションを与えるようなことはしない。逆に、ドラフト6位だから、ファームから下積みをさせようとも思わない。目をギラつかせ、「俺はこの世界で絶対に一流になるんだ」という若手を見つければ、彼らの自己成長をサポートしてやろうと考えるだけである。

こちらからは教えないし、育てようともしない。

ただ、私に突っかかってくるのなら、いくらでも相手になる。昔の職人の世界なのかもしれないが、時代が移り変わっても、それがプロフェッショナルというものなのだと思っている。そして、ファームでもがいている若手には、彼らの気持ちを察しながら課題を示す。チームを背負って戦う選手には、気持ちよくプレーできる環境を整える。それをある程度までできたことが、チームの成績として反映したのではないだろうか。

ビジネスの世界にも、一流大学から大手企業に進んだエリートもいれば、コツコツと下積みから這い上がった人もいるだろう。さまざまな歩みをしてきた人がさまざまな思いを抱えているだけに、少しでも「できる人の思い」「できない人の気持ち」、両方を理解できるリーダーになってもらいたい。

明日のために切り替えるよりも、今日という日に全力を尽くせ

言葉とは、自分の意思や目的を相手に明確に伝えるものである。ところが、白黒はっきりさせず、グレーの状態にしてしまう便利な言葉もある。

野球界では、いつの頃からか**「違和感」**という言葉が流行り出した。

「右足を骨折したので走れません」
「左肩の腱を痛めたので投げられません」

そう言われれば、治療に専念させて1日でも早くプレーできるようにしなければならないと思う。

しかし、「右肩に違和感があります」と言われても、投げられるのかどうか、医学的に治療が必要なのか判断がつかない。それでも、本人がそう言うのだから、こちらが無理して試合に出場させ、後になって「あいつに無理に使われて潰された」と言われるのも癪《しゃく》だ。そんな選手は、どんなに戦力として期待をかけていても自分の好きなようにさせている。

違和感がフィジカル面でのグレー用語なら、メンタル面では**「切り替える」**という言葉が頻繁に使われる。致命的なミスをした時、「まだ試合は終わっていない。切り替えてしっかりやろう」という意味合いで使われるのだと思うが、この表現にも私は違和感を覚える。

わからない言葉があれば辞書を引く。「切り替える」には、「今までのものを取り替えて別のものにする」「新しくする」という意味があり、用例として「頭を切り替える」がある。

頭を切り替えるとは、何かの問題を考えていく際に発想を転換してみるということだろう。目の前に高い壁が現れた時、人はそれをどうやって乗り越えようかと考える。その際、「壁は登るもの」という発想に固執すると、よほどの腕力があるか、梯子などを調達しなければ壁は越えられない。しかし、ドリルで穴をあけられないか、トンネルを掘って向こう側へ行けないか、そうやって発想を転換すれば、向こう側に辿り着ける方法はうんと広がる。それが「頭を切り替える」ことだと思う。

ただ、先に書いたケースで致命的なミスをした選手が使っているのは、「気持ちを切り替える」ということだ。気持ちを切り替える、その言葉の響きはいい。しかし、厳しいようだが、私には**考える力がない人の方便に聞こえてしまう**。

気持ちを切り替える場面で本当にしなければならないのは、ミスの原因をしっかりと精査し、次に同じような場面に出くわしたらどうするのか、その**答えを弾き出してから次へ進むこと**である。気持ちを切り替えてミスがなくなるのなら、初めから切り替えた気持ちでやれば済むことではないか。私は「開き直る」という言葉も同じ種類だと分類している。

幸い監督としての私は経験しなかったが、チームがペナントレースで不振に喘ぎ、最下位に低迷したとしよう。夏場を過ぎれば、優勝の可能性がなくなった、クライマックス・シリーズ進出も絶望だと、メディアに書き立てられる。そうした苦しい状況で、つい監督は「来季に向けて気持ちを切り替えてやっていく」と公言し、ファームの若手を昇格させて起用したりする。

これは明らかな間違いだ。

監督の仕事は、ペナントレースの最初から最後までベストを尽くして戦うことである。

若手の起用はチーム事情だと解釈しても、「来季向けて気持ちを切り替える」ことなど有り得ない。最下位が決定的とはいえ、まだ今季のペナントレースが続いているうちは、その戦いに全力を注がなければならないだろう。最下位になれば、監督自身のクビが飛ぶかもしれないのだ。自分がいないかもしれないチームの将来を思う余裕があるのなら、なぜ今、この瞬間にその思いをぶつけないのか。

もちろん、胸の内で来季の戦力整備や戦い方を考えていくことは必要だ。しかし、そうしながらも今日の戦いに全力で向かっている。そういう姿を選手やファンには示さなければならないはずだ。

苦しい状況に置かれた時、「気持ちを切り替える」という言葉に逃げるのはたやすい。だが、そこで罵声を浴びようが、批判の矢に打たれようが、**今日の戦いに全力を尽くさなければ、明日も来年もないだろう。**

また、そういうチーム状態では、選手も悔しい思いをしている。メディアには「A級戦犯」という物騒な表現で批判される選手もいる。しかし、どんなに成績が振るわなくても、ペナントレースを戦い抜いた選手を私は責めない。**本当の「A級戦犯」は、「違和感」という言葉に逃げて一軍の舞台に立たなかった選手なのである。**

翌年の年俸が大幅に下がることは覚悟してもらわなければならないが、たとえ結果が出なくても、「苦しみもがきながら戦い抜いたという事実」を、成長の糧にすることはできる。

常に全力を尽くすことは、明日に希望を見出すことでもあるのだ。

常に全力を尽くすことは、
明日に希望を見出すことでも
あるのだ。

5章

常勝チームの作り方

なぜ、落合博満が監督として指揮を執った
チームは、常に結果を出し続けられる
組織として進化を遂げたのだろうか。
その秘訣を今初めて明かす。

自分で考え、動き、成長させる

2001年に著した『コーチング』の中で、私はコーチングの基本を「教えない。ただ見ているだけでいい」と定義した。実際に監督としてチームを預かることになり、「見ているだけのコーチング」が基本になることは確認できた。それと同時に、「最低限、教えておかなければならないこと」が、いくつかあることも痛感させられた。

ごく簡単に説明すれば、最近の若い選手は野球における基本の基本、根っ子になる部分をしっかりと身につけていない。ただ、それは高校や大学の指導者の責任ばかりではなく、子供の頃から野球に打ち込む環境が変わってきていることが大きな要因だろう。

私たちの時代は、放課後に友人と集まれば決まって〝三角ベース〟という遊びに興じた。プロ野球選手の物真似をしながら投げて打つ。上手いか下手か、勝ち負けなど無関係に、ただひたすらボールを追いかけた。

リトル・リーグもなく、大人から指導を受ける機会はなかったが、毎日、日が暮れるまで飽きずに遊んでいたことで、**野球に必要な動きを、体が自然に覚えた。**そして高校で本格的に硬式球を握ってから、その動きの質を向上させていった。

一方、プロの世界へ入ってくるような最近の選手は、小学生の頃から何らかのチームで野球の指導を受け、常に勝ち負けを意識した中でプレーしている。ゆえに、野球に関する情報は頭の中にあふれているのだが、それ以前の体の使い方、「こうすればこうなる」という基本的なことを知らなかったりする。『コーチング』には「そんなこともわからないのか」は上司の禁句だと書いたが、それこそ私自身が「へぇ、こんなこともわからないんだ」と驚かされたことは一度や二度ではない。

そうやってプロの世界に飛び込んでくる、今の時代の若い選手に教えておかなければならないのは、**「自分を大成させてくれるのは自分しかいない」**ということだ。

「100回バットを振ったヤツに勝ちたければ、101回バットを振る以外に道はない」という大原則と、自己成長力の大切さを認識すること。まずは、そこがスタートラインになる。体の使い方や動きといったごく基本的なことは、自分の体に染み込ませていくしかない。

2003年10月8日に監督に就任後すぐに視察した秋季キャンプ。このことを強く感じた私は、全選手に対してメッセージを送った。

「来年2月1日のキャンプ初日には紅白戦を行ないます」

何か監督からの指導があるわけでもなく、いきなり紅白戦？

選手は色々なことを考えただろう。本当にキャンプ初日から紅白戦をやるのか。ただの脅しではないのか。初日から紅白戦をこなすためには何をすればいいのだろう。紅白戦の結果によって選手を振り分けるのだろうか。

私としてみれば、「新監督の謎めいたメッセージ」によって、選手たちが12月から1月の2か月間、常に野球のことを考え、自分なりの準備に取り組んでくれればよかった。

何を隠そう、それが誰からも押しつけられたのでなく、**自分自身で自分の野球（仕事）を考える第一歩**だからだ。

監督になって宣言したことは、

「目立った戦力補強はせず、**選手一人ひとりの実力を10～15%アップさせて日本一になる**」

ということだった。

まずは考え方の部分から、実力アップを目論んだのである。

果たして、2004年2月1日に紅白戦を実施すると、選手たちはすぐにペナントレースが開幕しても戦える状態に仕上げてきた。そして、「いつでも本番で戦える」状態でキャンプを始めれば、実際の開幕までには、さまざまな練習に取り組むことができると気づいたはずである。

そうやってさまざまな練習に取り組むことが、ペナントレースで苦しくなった時に自分の身を救ってくれるのだということを、やがて覚えていく。

この年、幸いにもリーグ優勝を果たしたことにより、選手たちには自信といい緊張感が生まれた。

「あの監督なら、またキャンプ初日に紅白戦をやると言い出しかねない」

選手たちは私が何も言わなくても、自分たちの頭でそう考える。

すると、2年目以降も選手たちは1年目と同じようにコンディションを仕上げてくるので、ドラゴンズは毎年2月1日から臨戦態勢を整えた上で春季キャンプをスタートさせることができた。

その中で、**自分で自分を成長させた選手がレギュラーの座を手にしていくのだ。**

自分の頭で考え、自分の体で覚える。

キャンプ初日からすべてをスタートさせる。

さまざまな練習の中で、自身を成長させていく。

実にシンプルなやり方だと思う。

そういう意味では、2004年2月1日の紅白戦が、チームのすべての土台になっているのだ。

選手一人ひとりの実力を
10〜15%アップさせて日本一になる。
まずは考え方の部分から、
実力アップを目論んだのである。

自己成長に数値目標は無意味

毎年2月の春季キャンプでは、全体練習を終えた後、サブグラウンドで行なわれる私のノックが話題になった。**1、2時間は当たり前。選手と私のどちらが先にギブアップするか、我慢比べのような時間であった。**

これは、決して強制的な練習ではない。ノックを受けたいと思った選手がコーチに申告し、私がノッカーに指名される。指名するのではなく、指名されるのだ。

だから、ノックの本数や時間もこちらからは指示しない。ただ、「これ以上続けたら体が壊れてしまうと感じたら、グラブを外してグラウンドに置く」ということだけ約束していた。

ドラゴンズがキャンプを実施している沖縄県中部の北谷町は、2月でもうっすらと汗をかくくらい暖かい。寒がりの私は厚手のグラウンドコートを着てノックをするため、選手は私がグラウンドコートを脱ぐまではやめないと決めていたようだ。ところが、私も必要以上の体力を使わずにノックすることができるから、いつまで経ってもグラウンドコートを脱がない。

「監督のグラウンドコートを脱がすのは無理かな」

そう感じた選手は、何を終わりの合図にしようか考える。時間にするか、本数にするか。自分の体と相談しながら、選手たちは考え、動き、決めていく。

同じように、居残りの打撃練習にも「何時まで」というリミットを設けていない。

こちらで「○時までな」と時間を決めてしまうと、どうしても「その時間をやり過ごそう」という感覚が生まれてくる。

だが、**監督やコーチが時間制限を設けなければ、選手は自分が納得するまでやり遂げる。**

こういう気持ちで練習に取り組むことが、自己成長を促し「自分の野球人生に自分で責任を持つ」という考え方を育んでいく。

三番を任せた森野将彦は、まさにこのプロセスで台頭してきた。

私が監督に就任した時、すでに8年目の中堅クラスだったが、通算出場254試合と一軍にも定着できていなかった。攻守に素晴らしいセンスを備えていたが、それをどう使いこなすかも、どうやって磨けばいいのかも理解していなかった。

だが、バッティング練習にしろ、守備練習にしろ、「終わる時間は自分で決めなさい」という形で練習すると、いつでも最後までグラウンドにいた。

先に書いたノックでも、私が「もう限界なんじゃないか」と感じているのにグラブを外さず、突然パタッと倒れて「寒い」と言うものだから、これは命に関わると救急車を呼ぼうとしたことまである。幸い大事には至らず、「なぜ倒れるまでグラブを外さなかったんだ」と聞くと、「外したかったけど外れませんでした」という答え。今では笑い話になっているが、そうやって自分の限界を知りながら、その手前まで追い込んで自分を成長させ、ポジションを奪い取った。

今の森野は、アマチュア球界のスターだからと競争もせずにレギュラーを与えられた選手に比べれば、芯の強さや太さを備えている。

かくいう私自身、「その他大勢」の中から、自分で考えながらのし上がっていった選手だったと思っている。そして、誰に言われたわけでもなく、自分で責任を持って過ごした現役生活にわずかな後悔もないからこそ、コーチには繰り返しこう言っている。

「自分から練習に打ち込んでいる間は、オーバーワークだと感じても絶対にストップをかけるな」

極論すれば、その時のオーバーワークが引き金となって選手が潰れてしまってもいいと考えている。「これ以上練習させたら壊れてしまう」と指導者が気を遣っても、一軍で活躍することができなければ、結果として壊れたのと一緒だろう。

指導者は、選手に対して絶対に気を遣ってはいけない。その代わり、**全身全霊で練習に打ち込む選手に配慮してやることが必要なのだ。**そこで、私はコーチにもうひとつ声をかけている。

「どんなに遅くなっても、練習している選手より先に帰るなよ。最後まで選手を見ていてやれよ」

2011年のシーズン前半、ドラゴンズは上位打線を任せている主力選手が揃って不振に喘ぎ、思うように得点できない試合が続いた。しかし、それでも下位に沈まなかったのは、投手陣が踏ん張ってくれたことと、若い野手がそれをチャンスと感じて結果を残したからだ。

厳しい競争は自然にチームを活性化させる。だからこそ、選手たちが自己成長できるような環境を整え、そのプロセスをしっかり見ていることが指導者の役割なのだと思う。

連戦連勝を目指すより、どこにチャンスを残して負けるか

現役時代、私は7人の監督の下でプレーした。

ひと口に「監督」と言っても、性格から戦い方まで十人十色という感じだが、中でもユニークだったのは長嶋茂雄さんである。長嶋さんは現役時代のプレースタイルや前向きな言動などで、ポジティブ思考の代表のように思われている。だが、真の姿はネガティブ思考の塊で、常に「このままでは勝てないのではないか」と心配している人だった。

その一番の証拠が、1990年代にフリーエージェントや外国人など実績のある選手を次々に補強したチーム編成だろう。周囲が「これほどのメンバーを集めたら楽勝だろう」と言っていても、長嶋さん自身は不安で仕方がなかったのだ。

だが、それが**監督本来の姿**なのだと思う。私自身も監督になって実感したが、戦力がいくら充実していても「絶対に勝てる」と確信することはない。では、長嶋さんはそれほど万全に戦力を整えたのに、なぜ毎年のように勝てなかったのか。それは、長嶋さん独特の戦い方にある。

極端な表現を使えば、長嶋さんはペナントレース全試合を勝ちに行く采配だった。

現在は交流戦を含めて144試合で優勝を争っているが、独走で優勝するチームでも50試合は負ける。2011年に球団史上初の連覇を達成したドラゴンズも75勝59敗10引き分けで、勝率は5割6分である。日本のプロ野球の歴史で100勝したチームがないことを考えても、ペナントレースを制するためには「50敗する間にどれだけ勝てるか」を追い求めていく。長嶋さんの采配は、まさに不可能への挑戦だったと言える。

長嶋さんは「勝つことこそが最大のファンサービス」だと考えた。それは私も同じである。そして、ファンはすべての試合を観戦できるわけではなく、中には一生に一度のプロ野球観戦という人もいるだろうから、毎試合勝ちに行かなければならないと考えていた。それが長嶋さん独特の考え方だ。しかし、時にはエースを先発させながら初回に大量失点することもある。例えば10点取られたとしよう。初回で0対10となってしまった試合は、もう逆転勝ちするのは難しい。長嶋さんもファンに申し訳ないと感じながら、若手選手を起用するなど策を転じていく。

ただ、コツコツと反撃しているうちに5対10まで追い上げると、一気に逆転を目指す。投手に打順が回れば代打を起用し、リリーフ投手も惜しみなく注ぎ込む。それで逆転勝ちはできなかったものの、7対10まで追い上げれば、「ファンの皆さんも少しは楽しんでいただけたかな」と満足そうな表情を見せる。これが長嶋監督の考えだった。このことは否定しない。ただ、私のやり方は違う。

毎試合勝ちに行く。こういう戦いを続けていると選手は確実に疲弊してしまう。そして、その疲れは翌日の試合にも大きく影響するのだ。言葉は悪いかもしれないが、長嶋さんの戦い方は1勝1敗で済むところを2敗してしまうようなケースが多かったのである。

0対10の大敗をファンに見せるのは申し訳ないが、そこはペナントレースを制するためと理解していただき、翌日の試合を勝ちに行くことが得策だろう。もちろん、大勝したチームは勢いに乗るから、翌日も厳しい試合になるのはわかっている。だからこそ、**今日は負けても翌日に戦う力、勝てるチャンスを残すべきではないか。**それがペナントレースというマラソンのような戦いで、最終的に1位でゴールするために必要だと思う。とにかく、どんなに強いチームでも50試合は負けるのだから。それが私の考え方である。

同じように、こちらはエース、対戦相手は経験の浅い投手が先発し、勝てると踏んだ試合を落としてしまうこともある。こういう試合は気分が悪いし、「明日はやり返してやる」と感情的になるものだ。しかし、反対に勝機が少なそうな試合に勝つこともある。そう冷静に考え、**「1敗は1敗でしかない」と割り切ることも大切**だろう。

監督が常に考えておくべきなのは、「負けるにしても、どこにチャンスを残して負けるか」ということなのだ。

どんな仕事でも、連戦連勝、つまり勝ち続けることは至難の業だ。いい結果が続いている時に指揮官がイケイケになってしまったら、ほんの小さな負けにも必要以上に動揺し、焦りが次の負けを生み出してしまう。だからこそ、**いい結果が続いている時でもその理由を分析し、結果が出なくなってきた時の準備をしておきたい。**そして、**負けが続いた時もその理由を分析し、次の勝ちにつなげられるような負け方を模索すべきなのだ。**

組織を預かる者の真価は、**0対10の大敗を喫した次の戦いに問われる。**

常に考えておくべきなのは、
「負けるにしても、
どこにチャンスを残して負けるか」
ということなのだ。

最高の成果を求めるなら、最上のバックアップを

なでしこジャパンが、サッカー女子ワールドカップで優勝した。世界一という最高の結果である。そうして、あらためて日本の女子サッカー界にスポットライトが当たると、彼女たちがスポーツ選手としては決して恵まれているとは言えない環境でプレーしていることがわかった。それでも世界一になったのだからと、すでに待遇が改善されたり、これから改善される部分もあるようだ。

ただ、日本人には熱しやすく冷めやすいという性質がある。2008年の北京オリンピックでは、金メダルに輝いた女子ソフトボールに注目が集まった。今回のなでしこジャパンとは優劣つけ難い盛り上がりだったが、現在はどうか。金メダルをきっかけに、女子ソフトボールを取り巻く環境は、多少なりとも改善したと思うが、劇的に変化したとは言えないだろう。

彼女たちは、世界一によって注目されたからまだいい。あの戦いがもし準優勝、銀メダルだったら、メディアも世間もそれほど強い関心は寄せなかったはずだ。それだけ、**勝負の世界においては、一番と二番には、天国と地獄にたとえられるほどの差がある。**

だが、最近スポーツ大会の閉会式を偶然テレビで見ると、会長だか大会委員長がこう言っているのを耳にした。

「準優勝チームも、最後の最後までよく戦いました。最後は紙一重の差で負けてしまったけれど、準優勝おめでとう」

準優勝チームに「健闘を称える」と言うならわかるが、**「おめでとう」はないだろう。**先に書いたように、優勝とは雲泥の差があり、周囲からの関心にも大きな違いが生まれるのだ。スポーツに対して、そういう認識を持っていない人が多いことが、日本という国でスポーツが正真正銘の文化だと認められない大きな理由になっている。

本当に、本気でスポーツ文化を育てていくのなら、成果を上げた者だけを認めるのではなく、成果を上げるためのバックアップ体制を万全にしていくしかない。国が競技環境を整え、選手たちが何の不安もなくプレーに専念できるようにする。そして、世界一になった者は、極端に言えば国が一生の面倒を見てやるようなシステムを作るべきだ。国際大会になると日の丸を背負わせ、それ以外は所属企業や団体にサポートさせているようでは進歩がない。ましてや「準優勝おめでとう」の言葉など、何の慰めにもならない。

少し熱くなってしまったが、**どんな仕事でも、目立つ成果を求めるのなら、それに見合ったバックアップが必要だ。**私が監督としてある程度の成果を上げられたのも、白井文吾オーナーから監督就任の要請をいただき、現場の要望を十分に受け入れてもらったからだ。もし、「日本一になったら要望を聞いてやろう」と言われていたら、いつまで経っても優勝できなかったかもしれない。反対に、バックアップもするが口も挟むという感じで現場に介入されていたら、それも思い描いた成果にはつながらなかっただろう。

もちろん、球団フロントに理解があるからといって、私も無理ばかりを言ってきたつもりはない。互いの考えを出し合い、尊重し合い、意思を疎通させてきたからこそ、球団史上でも顕著な成績を残せたのだと思っている。

勝負の世界においては、
一番と二番には、
天国と地獄にたとえられるほどの
差がある。

オレ流ではない。すべては堂々たる模倣である

中日ドラゴンズの特徴は、とにもかくにも練習量である。

２０１１年の春季キャンプで、２０１０年まで東北楽天で監督をされていた野村克也さんと対談をした。スポーツ番組でも一部が放送されたようだが、野村さんが「中日は昔のチームのようによく練習する」と言ったので、「練習するより頭を使え、という流れを作ったのは野村さんじゃないですか」と返した。

「今どきの若者は……」という枕詞で話し始めたら歳を取った証拠だというが、ついそう言いたくなってしまうくらいプロ野球選手の練習量は昔に比べると随分減った。恐らく高校、大学、社会人も同じような傾向にあるのだろう。基礎体力がかなり落ちており、メディアが「即戦力」と持てはやす新

人選手にも、まずは体力強化から取り組ませなければならないのが実情だ。**基礎体力が落ちれば、それに伴って技術の進歩も遅くなる。**

野村さんは1990年にヤクルトの監督に就任した時、すでに若い選手の体力や技術が落ちていることを感じたはずだ。そこで、昔のように徹底的に鍛え上げるという方法を取らず、体力や技術を頭脳でカバーするという野球を教えた。『ID（Important Data＝データを重視するという意味）野球』と呼ばれた戦略的な戦い方で、92、93、95、97年と4度セ・リーグ優勝を成し遂げている。

野村監督のその手腕は見事である。また、データ分析を重んじる頭脳的な野球は私も嫌いではない。だが、データ野球が徹底した反復練習を疎かにさせ、太く長く活躍できる選手の台頭を阻む一因にもなっていると考えていた私は、ドラゴンズの監督に就任すると、どの球団よりも長く厳しい練習で選手を鍛えようとした。データ野球を否定したわけではなく、選手に取り組ませる順序を「頭を使うよりも先に体力をつける」にしただけである。

そうやってチーム作りをしていると、意外な反応が起こった。

春季キャンプ初日に紅白戦を実施したり、6勤1休（6日練習して1日休む）で練習をすることが「落合流」なのだと報じられるようになったのだ。

何が「落合流」なのだろう、そう私は首を傾げている。プロ野球の歴史を振り返れば、キャンプ初日に紅白戦を実施した監督も、6勤1休のキャンプを行なった監督もいる。野村さんのようにクローズアップはされなかったかもしれないが、データを重んじる野球だって昔からあるものだ。そう考えれば、私が行なったドラゴンズのキャンプなど、まだまだ生温いほうかもしれない。

つまり、私のキャンプのやり方、チームの作り方、もっと踏み込んで言えば、野球という仕事に対する考え方は、過去に誰かが実践していたものを参考にしたり、アレンジしたりしているものにすぎない。私が先人のやり方を参考にしていようがいまいが、結果的に私のやり方は模倣と表現しても間違いではないだろう。

そもそも、野球のような技術事は模倣から始まると言っていい。私たちが子供の頃は、長嶋茂雄さんや王貞治さんのバッティングフォームを真似て棒切れを振った。本格的に野球に取り組むようになれば、野球専門誌に掲載されているプロ選手のバッティングの分解写真を穴のあくほど眺め、「ここはいい」と採り入れた経験もある。

そうやって**自分がいいと思うものを模倣し、反復練習で自分の形にしていくのが技術**というものではないか。ピアニストや画家と同じ。私の記憶を辿っても、プロ入り後にチームメイトや対戦相手の選手を手本にしたのは一度や二度ではない。**模倣とはまさに、一流選手になるための第一歩なのだ。**

それなのに、心のどこかで模倣することを恥じるようになる人がいる。自分が一人前になったと自覚した時、「他人の真似をしているなんて」とつまらないプライドが芽生えるのか。あるいは、「あの人は誰かの受け売りばかり」と陰口を叩かれるのを恐れているのか。何かに憑かれたように自分のオリジナリティを追い求め、「私のやり方は……」と語る人は少なくない。

プロ野球界も例外ではない。

ドラゴンズが毎年のように優勝争いをできる土台が厳しいキャンプにあると思うなら、4勤1休を6勤1休にしてみればいい。「落合のここはいいな」と思える部分があるのなら、自分でも試してみればいいと思う。しかし、なかなか勝てないチームの監督で、そうする人はいない。6勤1休は私の特許でも何でもないのだから、まず試してみても悪くはないと思う。ペナントレースの戦いで少しでも優位に立ちたいと、スコアラーがライバルチームの情報をくまなく集めているのに、ライバルのいいものを採り入れなければ意味がない。

家電品にしても雑誌にしても、どこかの会社が出した商品が評判になれば、他社は何のためらいもなく同じような商品を世に出していく。そこに競争が生まれ、老舗の売り上げを二番煎じが上回り、いつしか二番煎じがスタンダードになった例などいくつもある。大切なのは誰が最初に行なったかではなく、**誰がその方法で成功を収めたかだ。**

「初」には大きな価値がある

大切なのは誰が最初に行なったかではなく、誰がその方法で成功を収めたかだ。

私のチーム作りなどにおける方法論は、先人の模倣でもあると書いた際に、そうまとめた。これについてさらに論を進めれば、成功を収めた、あるいは一定の結果を残したことに関する**「初」には大きな価値がある**。

なぜ、この話題に触れたのかといえば、2011年9月3日の広島戦で岩瀬仁紀が日本プロ野球史上初の通算300セーブを達成した際の報道に失望感を抱いたからである。

岩瀬はすでに、通算287セーブのプロ野球新記録を達成した。その時は「新記録」という部分で大いに注目されたのだが、300セーブという数字は、その新記録をさらにワンランク上のステージに引き上げたものだ。プロ野球の世界では、**人類初の月面着陸くらいインパクトのある偉業**なのである。

さて、岩瀬の偉業はどのように社会に伝えられるのか。私は翌朝、楽しみにスポーツ紙を買おうとしたのだが、驚いたことに岩瀬の偉業を一面にした媒体はひとつもなかった。

寂しい時代になった。そう思ってため息が出た。スポーツ紙というのは、創刊以来プロ野球界とは切っても切れない関係を築いてきた。かつては、称賛されることもあれば、「そこまで言わなくても」というくらいに叩かれる時もあった。私の現役時代もそうだった。だが、掲載される記事には、ファンの興味に応えるという使命と両立して、プロ野球界に対する愛情と敬意があった。

だからこそ、私のように「悪役」のイメージを植えつけられた選手でも、日本初となる3度目の三冠王を手にした時は、どの媒体からも褒めてもらった。そういうご褒美が、誰よりも高い場所に立ってやろうとプレーしている選手の誇りや自信になった。しかし、今はどうだろう。「そんなご褒美もなくなってしまったのかな」と思うとやり切れない気持ちになった。僭越ながら、スポーツ紙にはプロ野球界に対する敬意のような感覚もなくなったのかと感じた。

ただ、これはスポーツ紙だけの責任ではなく、プロ野球界全体で「初」の偉業に対する価値観が鈍くなっているという背景があると思う。**あらゆる面で数字を競っている世界なのに、肝心の数字に対**

する感性が鈍くなっている。

ちなみに、2011年8月25日の東京ヤクルト戦に勝利した際、私は記者に囲まれて「史上22人目の監督通算600勝ですが……」と質問を受けた。

600勝とは、確かに区切りの数字ではあるが、新記録でも初の記録でもない。私自身、気にもしていない数字なのだ。最近はさまざまな記録が整備され、パソコンのキーを叩けば、どんな細かな記録でも瞬時に検索できる。だが、過去に21人の監督が通過した600勝という数字と、誰も達成していない岩瀬の通算300セーブという数字の持つ意味合いがまったく違うのは明らかだろう。

また、**「初」の価値観を大切にすることは、自分の会社や仕事の発達史を理解することにもつながる。**

例えば、日本プロ野球の最多本塁打は王貞治さんの868本だ。歴代2位の野村克也さんが657本だから、800本台のみならず、700本台に到達したのも王さんだけという視点から、その記録の偉大さを十分に理解することができる。

では、通算500本塁打を初めて達成したのは誰かといえば、それは1971年の野村さんなのだ。この時点では、本塁打という記録の荒野を先陣切って駆け抜けていたのは野村さんであり、王さんは野村さんの背中を追う立場だった。プロ野球にもそういう時代があったのである。

野村さんが日本初の500本塁打という偉大な記録を打ち立て、それを追った王さんが野村さんを抜き去り、記録を600、700、800と伸ばした。「初」の歴史を紐解けば、その価値をさらに深く認識することができるのではないか。

私が三冠王にこだわったのも、25歳でのプロ入りだったため、王さんの通算本塁打には追いつけないと思い、何か「プロ野球界初」になれるものはないかと考えた末、王さんの「2度の三冠王」なら上回れるチャンスがあるかもしれないと思ったからである。

誰も知らない領域を目指していくことは、私自身を大いに成長させてくれた。

今後、岩瀬が通算セーブ数をどこまで伸ばすかわからない。だが、仮に300台でユニフォームを脱いだとすれば、次代の投手はその記録を追い、抜き去っても400を目指すことができる。そうやってプロ野球は発展していく。同じように、**どんな世界でも、かつての「初」を次代が抜き去り、新たな「初」が生まれていく。**「我が社初の」、「我が業界初の」、「我が校初の」が、その世界を発展させていくという意味で、「初」の価値を再認識すべきなのだ。

自分がいる世界や組織の歴史を学べ

プロ野球は12球団から成り立っているが、そこに所属する選手、監督、コーチだけで毎日のように試合を行なうことはできない。

会場となる野球場を管理している法人があり、各球団にはさまざまな役割を担う職員がいる。それに加え、12球団を統括する日本野球機構から審判員や公式記録員が派遣され、その試合を報道する新聞社、テレビ局、通信社などもスタッフを送り込む。広い意味で考えれば、これだけの人間が「プロ野球によって生活している」のだ。給与を得ている会社は違うし、その額もまちまちだろう。しかし、同じ〝世界〟で生計を立てていると考えてもいい。だからこそ、**互いの職種に敬意を持つべきではないかと思っている。**

アウトかセーフか微妙な場面で自軍に不利な判定が下された時、監督がダグアウトを飛び出し、その判定を下した審判員の元に猛然と走っていって抗議するシーンを見たことのある方は少なくないだろう。勝敗を左右する場面になればなるほど、抗議する監督もエキサイトし、審判員の体に触れたり、何か暴言を吐いたり、抗議時間が5分を超えて退場を命じられることがある。ファンやメディアは、これも野球の一部として楽しむようだが、当事者たちは真剣なのだ。

中には自軍の選手の気持ちを鼓舞するために猛抗議をする監督もいるらしい。監督が抗議をして退場になれば、「あれだけ監督が抗議してくれたのだから、この試合は負けるわけにはいかない」というわけである。私は、こういう目的で抗議に出たことはない。なぜなら、それは審判員への侮辱だと考えているからだ。チームの士気を高めるために審判員を利用するのは、どこかで彼らの立場が自分たちより下だと思っているからではないか。野球の試合というのは、審判員が「プレイボール」を宣告しなければ始まらない。**選手と同様、審判員は野球の試合になくてはならない存在なのである。**

このように、プロ野球界に関わる者は一種の運命共同体だと教えてくれたのは先輩たちだった。かつて活躍した選手、名ジャッジと謳われた審判員、厳しい半面で愛情にあふれる記事を書いていた記者など、プロ野球の歴史を築いてきた先輩がいるからこそ自分たちがいる。そう教えられ、その先輩たちがどんな業績を残したのかくらいは自分で調べていたものだ。

しかし残念ながら、最近では「自分がいる世界や組織の歴史を知る」という習慣が薄らいでいるようだ。

一般社会で社長の氏名を知らない社員はいないと思うが、若い選手の中に球団オーナーや社長の氏名を正確に知っている者はどれくらいいるだろう。また、ある選手が先輩の記録を抜いてインタビューを受けることがある。その記録が大昔のものなら、先輩はすでにユニフォームを脱いでいるが、記録を残している名選手なのだ。それなのに、「その方はプレーを見たこともないのでわかりません」と平然と言ってしまう。一般社会なら冷笑されてしまうほど、情けない言動だと思う。

プロ野球選手なら、ましてや自分がその先輩の残した記録に迫っているのなら、たとえ同じ時期にプレーしていなくても、すでに鬼籍に入られた方であっても、どんな選手だったのかくらいは知っておくべきではないか。同じように、野球を報道するメディアの人間にも、プロ野球の歴史を知らない者が増えた。昔の野球や選手を知らずに、どうやって現在の野球を語れるのだろう。

大袈裟かもしれないが、**歴史を学ばないということは、その世界や組織の衰退につながる**とさえ思う。

例えば、公式記録員という仕事は、その試合のスコアを克明に書き記すのと同時に、今の打球はヒットかエラーかという判断も下す。1本のヒットで運命が変わる選手たちと、密接に関係している仕事と言っていい。そこで、昔の公式記録員は試合前の練習から選手の動きを観察したり、その日のグラウンド状態を見たりしてヒットやエラーの判断材料を蓄えていた。しかし、最近ではそうした先輩の仕事ぶりを受け継ぐ公式記録員が少なくなっている。

「選手のプレーも見ていない人間が記録をつけるのか？」

私はそう疑問に感じている。どんな世界でも、その中で仕事をするのなら、その世界や組織の成り立ちから謙虚に学び、先輩たちが残した財産を継承していく姿勢が大切なのではないか。歴史を学べば、それを築いてきた先輩たちが何を考え、どんな業績を残したのかもわかる。成功例だけではなく、失敗例もいくつもあるはずだから、**歴史を学ぶことは、同じような失敗を繰り返さないことにもつながる**はずだ。

そうした努力もせず、現在のプロ野球だけを見て「つまらない」「一面が作れない」「視聴率が取れない」と考える。冗談じゃない。昔のプロ野球を知らないから現在のプロ野球の面白さもわからず、自分で自分の首を絞めているだけではないか。

企業の社風も時代とともに移り変わっていくようだが、創業者の理念が受け継がれなくなったら、その企業では衰退が始まるという。プロ野球界に関わる人間も、しっかりと歴史を学び、そこから未来の発展につながるような世界にしていかなければいけないだろう。

レギュラーの甘えは、完全に断ち切る

選手起用に関して、私はひとつの信念を持っている。

それは**「痛い」と言った選手は使わない**ということだ。それは、レギュラーに対しても成長途上の若手に対しても同じである。

例えば、ペナントレースの終盤、優勝争いの真っ最中に四番打者が「腰が痛い」と言ってきたとする。そこで私が「おまえがいないと厳しい。悪いが無理をしてでも試合に出てくれ」と、半ば〝業務命令〟でスタメン起用したとしよう。

どうにか試合に勝てればいいのだが、四番打者が打てずに負けたとなると、話はややこしくなる。

「腰が痛いと言ったのに、監督命令で出場しているから思い通りの結果が出ない」

そう四番打者に愚痴を言われるのも気分が悪い。
「腰の痛みを我慢したせいで、ほかの部分も痛めてしまった」
そんな泣き言を言われても責任の取りようがない。

だから、普段から選手にはこう言ってある。

「痛いというヤツを無理やり使うほど、チームは困っちゃいない。痛ければナンボでも言え。すぐにファームに落としてやるから」

誤解をしてほしくないのは、脅し文句で言っているのではないということ。選手のコンディションを管理するトレーナーからは、個々の選手がどういう状態でプレーしているかの報告は細かく入っている。それを踏まえた上で、私は**一軍ベンチに入るのかどうか、グラウンドでプレーするのかどうかの判断は、あえて選手本人に任せている**のだ。

「痛い」と言って休むのは自由だ。しかし、自分の代わりに出場した選手が目立つ結果を残したら、次の日から自分の立場がどうなるのか。ドラゴンズの選手たちは、それを一番よくわかっているのではないか。それがプロフェッショナルの世界だ。

自分がどれだけ苦労して一軍に定着したのか、あるいはレギュラーと呼ばれる地位を築いたのか。そのことを考えれば、レギュラーとしてグラウンドに立っている選手は、そう簡単に「痛い」などと言えないはずだ。

そのあたりを曖昧にしておくと、シーズンを通してしっかりした戦いを続けていくことができなくなる。

試合前の練習から雨が降っているような日は、誰だってプレーするのが鬱陶《うっとう》しい。ドーム球場が増えた最近なら、「今日くらいは休みたいな」と思う気持ちは理解できる。そんな時、日頃から痛みを感じている腰の調子がよくないと言って欠場し、翌日に晴れたら試合に出る。厳しい言い方になるが、それはレギュラーの〝甘え〟でしかない。

デッドボールをぶつけられた時も同じだ。140キロで飛んでくるボールが体に当たれば痛いに決まっている。だから私は「痛むか？」などとは聞かない。

「出るのか引っ込むのか、どうする？　俺だったら、ほかの選手にチャンスは与えないけどな」

ボソっとつぶやく。

「何ともありません」

その選手は一塁へ歩いていく。選手にしてみれば、デッドボールは当たりたくて当たっているわけではない。不可抗力の負傷じゃないかということだろう。だが、私に言わせればボールの避け方が下手なだけだ。私の現役時代を振り返っても、デッドボールで欠場するほどバカバカしいことはないと、上手い避け方も身につけていったものである。簡単にデッドボールを受けないのも一流の証なのだ。

食うか食われるかの勝負の世界は、どのチームが勝つのか、誰がレギュラーになるのか、最終的には選手が自分たちで結論を出す。レギュラーに対してだけ「有給休暇のようなものを認める」のは、監督がその競争を邪魔しているということになる。そして、**レギュラーを狙っている若手選手は、必ずレギュラーの背中、立ち居振る舞いを見て育っていく**ものだ。レギュラーがひ弱いチームは、次の世代に出てくる選手もひ弱くなる。だから、いつまで経っても勝てないのである。

だからこそ、監督はレギュラー、すなわちチームにとって必要な人材からこそ、甘えを断ち切っておかなければいけない。そういう意味では、私は思いやりのある優しい監督だったのではないかと思っている。うなずいている方は少ないかもしれないが……。

職場に「居心地のよさ」を求めるな

会社を経営する側、組織の長と言われる立場の人には、職場の環境をよりよくしていく努力が必要だろう。私も監督に就任してから、ドラゴンズという〝職場〟の環境を少しでもよくしようと努めてきたつもりだ。

春季キャンプであれば、選手が時間を気にせず思い通りの練習に打ち込めるよう、ブルペンや打撃練習場の数を増やした。春季キャンプ中の食事も選手と首脳陣は別々の会場にして、ユニフォームを着ていない時間くらい上司と顔を合わせなくても済むようにした。本拠地のナゴヤドームでも、審判員が本塁打の判定がし辛いと感じれば、外野フェンスを改造してもらったり、両翼のポールを天井まで伸ばしてもらった。そして何よりも、練習をサポートしたり、データを収集するスタッフの人数を大幅に増やしてもらった。

すべては選手たちに気持ちよくプレーしてもらうためである。

だが、それは選手たちに「うちの監督は選手思いだ」と実感させ、選手と私、あるいはチーム内の人間関係を円滑にしたいからではない。人間関係という観点で言えば、私は選手やチームスタッフから恨まれるのを覚悟してやっていた。

例えば、ファームで目立つ実績を上げている選手がいたとしよう。二軍の首脳陣からは「あとは一軍から声がかかるのを待つだけだ」と成長を認められ、本人も一軍で活躍しようと意気込んでいる。ところが、運が悪いことに一軍で補強したいのはそのタイプの選手ではなく、他の選手が一軍に呼ばれることもある。

若手の中から誰を抜擢するか。それは、実績だけではなく、運や巡り合わせのようなものも絡んでくるものだろう。だが、実績を残したのに一軍から声をかけられなかった選手にしてみれば、やり切れない気持ちの矛先は私に向く。不運にも、その後は目立つ実績を残せず、何年かして自由契約を通告したのも私となれば、「落合が監督じゃなければ、俺も活躍できたかもしれないのに」ということになる。

乱暴な書き方かもしれないが、それがビジネスの世界の現実だ。実力第一、成果主義、好き嫌いで人は使わないとはいえ、**チャンスをつかめるかどうかには運やタイミングもある**。これも事実だ。

そうした現実を踏まえ、若いビジネスマン諸君に伝えたいのは、**自分の職場に「居心地のよさ」を求めるな**ということだ。

どんな世界でも円滑な人間関係を築くことは大切だ。しかし、「上司や先輩が自分のことをどう思っているか」を気にしすぎ、自分は期待されているという手応えがないと仕事に身が入らないのではどうしようもない。物質的な環境がよくないと感じたら、上司に相談したり、改善の提案をすることは必要だが、人間関係の上での環境に関しては「自分に合うか合わないか」などという物差しで考えず、**「目の前にある仕事にしっかり取り組もう」と割り切るべき**だと思う。

人間味あふれる人と評判の監督が率いるチームでも、「このチームにいてよかった」と心底感じているのはレギュラークラス、すなわち監督に重用されている選手だけだ。

残念ながら、控えに甘んじ、いつまでも年俸の上がらない選手が「監督を慕っている」という話は聞いたことがない。同じように、100人の社員が100人とも「ここはいいな」と感じている職場などあり得ないのではないか。

組織の中には、いい思いをしている人とそうでない人が必ず混在している。ならば、職場に「居心地のよさ」など求めず、コツコツと自分の仕事に打ち込んでチャンスをつかむことに注力したほうがいい。運やチャンスをつかめる人ほど、このことをよくわかっている。

若いビジネスマンに伝えたいのは、
自分の職場に「居心地のよさ」を
求めるなということだ。

「極論」から物事の本質を見直してみる

日本シリーズは1950年に産声を上げた時から7試合制で、**先に4勝したチームが日本一となる。**

言うまでもなく、我々はここを目指して日々戦っている。

2010年、千葉ロッテマリーンズと対戦した日本シリーズの監督会議で、私はいくつかの質問を投げかけた。そのうちのひとつが、「試合が第14戦までもつれてしまったら、どうするのか」というものである。

先に4勝したチームが日本一。その方式は60年以上変わらないが、試合における細則には手が加えられてきた。現在は、延長15回を戦っても同点の場合は引き分けとなり、それによって第7戦までに

4勝するチームがなければ、第8戦を第7戦と同じ球場で翌日に開催し、延長は無制限で勝敗が決するまで行なう。それでも決着がつかない場合は、1日の移動日を設け、もう一方の球場で第9戦を行なう。

ここからわかるのは、第7戦までに2試合が引き分けになり、例えばドラゴンズの3勝2敗2引分であれば、第8戦を行なう。そこでドラゴンズが敗れて3勝3敗2引分となれば、4勝はしていないので、第9戦で決着をつけるということなのだ。日本シリーズの歴史で、第8戦までもつれ込んだのは、1986年の西武対広島の1回だけ。そう見れば、「引き分けが続く」という不測の事態にも対応できる規則だと思える。

だが、そこに私は「第7戦まですべての試合が引き分けになったらどうするのか」という質問をしたのである。第7戦を終えて7引き分けなら、最低でもあと4試合、最大で7試合を追加しなければならない。最低でもどちらかが4勝しないといけないのだから。

プロ野球界は日本シリーズ終了後も、アジア勢との試合や他の行事が立て込んでいる。それゆえ、決着がつかないとはいえ、いつまでも日本シリーズを戦っているわけにはいかない。

そんなことは滅多にないだろうと、私の質問を馬鹿げていると感じた方はどれくらいいるだろう。少なくとも、「そうだよな。14試合になったらどうするんだろう」とうなずいた方は少ないはずだ。質問を受けた日本野球機構のスタッフも「何を言い出すんだ、この人は」という表情を見せながら、

「この件については検討しておきます」とお茶を濁した。

なぜ、私はこんな質問をぶつけるのか。

「そんなこと起こるわけがない」ということを真剣に考えることで、日本シリーズをよりよい試合にするヒントを得られると考えているからだ。

ペナントレースは、28名の一軍登録選手の中から、毎試合25名がベンチ入りして戦う。延長は12回まで（2011年は東日本大震災の影響を考慮して、3時間30分を超えた時点で新たな延長回には入らなかった）である。それに対して日本シリーズは、あらかじめ40名の選手を登録し、その中から毎試合25名がベンチ入りする。延長は15回までである。

日本シリーズは、ペナントレースより延長が3回分長くなっているにもかかわらず、ベンチ入りできるのは25名で変わらない。そうなると、1試合、2試合と延長が続いただけで、特に投手のやり繰りが難しくなってくる。さらに、引き分けが続いたことで、7試合では決着がつかないとなれば、当初のスケジュールにはなかった試合まで行なわなければならなくなる。

そうやって、万全と思われる現在のルールに、あえて「極論《レアケース》」をぶつけてみる。

「なかなかないとは思うけど、延長が続くとスケジュールを延ばさなければならないので、第1戦から勝敗が決まるまで延長をやっておこうか」

「延長無制限だと投手のやり繰りが大変だから、日本シリーズのベンチ入りは28名に増やしておいたほうがいいかもしれない」

ファンの皆さんにとって観戦価値の高い日本シリーズを提供するためにはどうすればいいのか。**こんな「極論」からも、活発な議論ができるのではないだろうか。**

さて、2010年の日本シリーズは千葉ロッテの3勝2敗1引分で第7戦を迎え、この試合も延長に突入した。引き分けるかドラゴンズが勝てば、第8戦も戦うことになったわけだ。そうなると、8試合中5試合がナゴヤドーム、3試合が千葉マリンスタジアムと、本拠地で開催する試合数にも不公平が生まれてしまうところだった。しかし、結果は千葉ロッテが延長を制して日本一になった。

予定通り7試合で終わったと胸を撫で下ろし、「もうこんなにもつれることはないだろう」と考えるのか、「今のうちに日本シリーズを見直しておこう」と行動を起こすのかで、本当にファンの皆さんに喜んでいただけるプロ野球であり続けられるのかどうかが変わってくると思う。

また、このことは現場の私たちにも言える。勝負事に「絶対」はない。たった1ニイングで10点を取ったり取られたりという「そんなこと起こるわけがない」という珍事が、ごくまれにだが起こるのだ。指揮官は、そうした万が一も常に想定し、準備と対策を練っておかなければいけないのである。万が一が起こった時、苦しんだり対応に追われるのは現場の部下たちなのだから。

一人の選手への采配で、チーム全体の空気が変わる

一人ひとりの選手が役割を果たすことで、チームは動いていく。それを統率する監督は「いかにチームで勝利を得るか」を考えて選手に指示を出す。チームがあって監督、選手があるというのが基本的な考え方になるが、私はドラゴンズの指揮を執り始める時、**一人の選手のためにチームを動かすことで、チームの空気を変えよう**と試みたことがある。

一人の選手とは、2004年の開幕戦に私の一存で先発させた川崎憲次郎である。

川崎は1989年にドラフト1位でヤクルトへ入団すると、2年目には12勝を挙げ、1993年の日本シリーズではMVPを獲得。1998年には17勝して最多勝利のタイトルと沢村賞を手にするな

ど、エース格として高い実績を残してきた。2001年にはフリーエージェント権を行使してドラゴンズと契約したが、この年に右上腕部を痛めて一軍登板ができずに終わると、2年、3年と一軍のマウンドから遠ざかる。私が監督に就任した2004年も登板できなければ、ドラゴンズでの4年間は実績ゼロになるという状況だった。

川崎ほどの実績がある投手なら、投げてさえくれれば貴重な戦力になる。だが、このまま〝宝の持ち腐れ〟にしておくと、チームにいい影響は与えない。監督としては、川崎でさえ実績を上げなければユニフォームを脱がされる、ということを示さなければならない。また、故障に苦しむ選手は、どうしても復帰することに憶病になるものだから、私が背中を強く押してやることも必要だと感じた。

そこで、年が明けて2004年になるやいなや、川崎に電話をかけて「開幕戦に先発するぞ」と伝えた。

当時の川崎が「頑張れよ」「早く復帰してくれ」という月並みの言葉でマウンドに戻ってこれるとは思わなかったので、**あえて具体的な目標を与えた**わけだが、投げられるかどうかわからない投手を開幕戦に先発起用するのだ。失敗すれば、単なる1敗では済まないというリスクは覚悟した。

2月1日、春季キャンプ初日の紅白戦でも川崎を先発させ、そこから開幕戦まではマイペースで調整させた。オープン戦になると、開幕戦から逆算して中9日で登板機会を与え、川崎なりに万全の状態が作れるようにした。開幕を10日後に控え、川崎がオープン戦で仕上げの登板をする際、「どうしても開幕戦に投げられないと感じたら、2、3日中には言ってくれ」と伝えておいた。そして、森コーチには開幕から6試合分の先発投手を決め、川崎が登板できない場合は6番目の先発投手を開幕戦に起用すると指示した。

先発投手は第2戦から野口茂樹、川上憲伸、平井正史に決定。5番目のドミンゴ・グスマンを隠れ開幕投手として登板日を通告せず、6戦目は山本昌にした。そうやって先発投手を決めておいたが、川崎を開幕投手にすることは、川崎本人、私と森コーチ、捕手の谷繁元信の4人だけの秘密としたため、開幕が近づくにつれ、チーム内でも「開幕戦は誰が先発するのか」が話題になっていたようだ。

そして4月2日、広島との開幕戦を迎える。

ナゴヤドームのロッカールームでは、先発投手探しが続く。山本昌、川上、平井、野口が自分の登板日を正直に明かしても、まだ開幕投手は見つからない。選手たちが「まさか……」と顔を見合わせていたところに、スーツにネクタイ姿の川崎が緊張した面持ちで現れ、「今日は頑張ります」とひと言挨拶をした。

「本当かよ」という声が飛び交いながらも、選手たちには「川崎さんを何とか勝たせよう」というムードが生まれたという。

ここからドラマが始まった。

果たして、先発した川崎は1回表こそ無失点で切り抜けたが、2回には死球を挟んで5連打されるなど5点を失ってマウンドを降りた。それでも、ドラゴンズ打線は7人の投手リレーで追加点を許さず、コツコツと反撃して6回裏には同点に追いつき、最後は8対6で広島を振り切った。

チームは、川崎の黒星を消すだけではなく、新監督である私に開幕戦勝利もプレゼントしてくれたのである。何よりも、春季キャンプから復帰を目指す川崎の背中を全員が見て、開幕戦では何とか川崎を助けようとプレーしてくれたのが大きかった。そうやって**川崎のために全員が動くことで、チームとはどういうものなのかを実感してもらえたら、大きなリスクを覚悟した私の〝最初の采配〟は成功だったのではないかと思った。**

ちなみに、川崎には4月30日の横浜戦でも先発の機会を与えたが、ひとつのアウトも取れずに1回途中4失点で降板。この時点で、私は戦力外という非情の決断をして、リーグ優勝を決めた翌日、10月2日に川崎に伝えた。

「残念ながら、うちでは戦力外だ。他球団で続けるか、このままユニフォームを脱ぐか考えてほしい」

翌日、川崎から「お世話になりました。引退します」という報告を受けた。

川崎がやはり強運の持ち主だと感じたのは、この日が古巣ヤクルトとの対戦であり、しかも本拠地最終戦。なおかつ、優勝決定後の試合ということで、川崎の引退セレモニーを行なうには最高の舞台だ。当時ヤクルトを率いていた若松勉監督も快諾してくださり、川崎はドラゴンズのチームメイト、ヤクルト時代のチームメイトに見送られて、華やかにグラウンドを去った。

川崎の復活は、残念ながら実現しなかった。それでも、**最後の1年の取り組みは若手に大きな影響を与えたと思っているし、私のチーム作りにおいても土台のような出来事になったのである。**

勝ち続けることに、全力を尽くす

私には趣味と言えるほどの趣味がない。ただ、映画を観るのは好きだ。高校時代は、野球部の練習をサボって映画館に入り浸っていることもあったし、今でもシーズンオフなどは、DVDを借りてきて観ることがある。洋画でも邦画でも、SFでもラブストーリーでも、ジャンルを問わずに鑑賞する。

その映画の世界には、傑作と言われる作品がある。

ベストセラー小説を映像化したり、歴史上の大きな出来事を題材にするなど、多くの人々の興味を引きつけそうなテーマを選び、出演者やロケにも多額の投資をする。そうやって製作された作品は、評論家からも高い評価を得て、満を持して封切られる。

だが、その作品が多くのファンに支持され、大ヒットを飛ばすかといえば、それはわからない。傑作と前評判の高かった作品が、世の中ではあまりウケなかったという事例は過去にいくつもある。反対に、製作された直後は話題にもならなかったものの、ジワジワと評判を上げてヒットしたというケースもある。当初はB級と言われた作品でも続編が企画され、主演俳優がスターダムにのし上がっていく例も珍しくない。

このように、作品や製品を世に送り出す仕事をしている人には、**傑作を作ろうという「意気込み」と、それが必ずしもヒットする、すなわち利益に結びつくかどうかはわからないという「不安」がつきまとう。**プロ球団で監督になり、チーム作りをしていると、私も同じような感覚を覚えた。

ドラゴンズの監督として3年契約の最終年を迎えた2006年のシーズン、私には日本一を勝ち取れるだろうという手応えがあった。実際、ペナントレースが開幕すると6月半ばには首位に立ち、8月には2位の阪神に最大9ゲーム差をつけて独走態勢を築いた。

終盤には阪神の猛烈な追い上げがあったが、それでも10月10日の巨人戦でリーグ優勝を決めたのである。チーム打率2割7分、642打点、155犠打、454四球はリーグトップ。破壊力がある上、走者を出す、進めるという点でも優秀な打線に加え、チーム防御率3・10、守備率9割8分9厘もリーグトップと、攻守にバランスの取れたチームだった。

優勝を決めた試合では、延長12回にタイロン・ウッズが勝利を決める満塁本塁打を放った際に込み上げるものがあり、お立ち台でインタビューを受けた際には、不覚にも涙を流してしまった。

「3年間で強いチームを作ります」

監督に就任する際、白井文吾オーナーと交わした約束を、ある程度は達成できたのかな。その時は、まさか自分が契約延長によって4年目以降も監督を続けるとは夢にも思っていなかったので、思わず感極まってしまったのかもしれない。

しかし、自信を持って臨んだ北海道日本ハムファイターズとの日本シリーズでは、第1戦でダルビッシュ有を攻略して勝利を挙げたものの、そこから4連敗して日本一を逃してしまった。敗れた4試合で奪った得点はわずかに4点。野球の世界で「打線は水もの」と言われているが、シーズン通して機能してきた攻撃力が、ここまで止まってしまうとは想像できなかった。

そして、翌2007年はわずかの差で巨人に優勝をさらわれてしまったが、この年から導入されたクライマックス・シリーズを勝ち抜いて日本シリーズに進出すると、今度は北海道日本ハムを4勝1敗で下して53年ぶりの日本一になったのである。今だから書けるが、日本シリーズに臨む際には、前年と比較しても勝算は低いと感じていた。映画でいえば、製作責任者である私に**「傑作を作り上げた」という確信は薄かったのだが、それでもチームは頂点に立ったのである。**

映画の製作者も、プロ野球の監督も、メーカーの開発担当者も、世の中に認められる作品を、チームを、商品を作り上げようと意気込む。もちろん、意気込むだけではなく、認められるに足る戦略を持って世に送り出している。それでも、思わぬ社会情勢の変化、流行の移り変わりなどにより、思い通りの成果を上げられないこともある。

プロ野球でいえば、勝てるかどうかという要素に加え、ファンが楽しむ野球を展開できるかどうかも評価の対象となる。ここが一番難しい。

監督は強いチームを作り、そのチームで勝利という結果を積み上げるのが役割だ。選手たちがファンに笑顔を振りまいていても、ペナントレースで下位に沈んでしまっては意味がない。**最大のファンサービスは、あくまで試合に勝つことなのだという信念が揺らいでしまったら、チームを指揮する資格はないと思う。**監督が勝ちを目指さずして、誰が勝つことを目指すというのだろうか。

ゆえに、勝利を積み上げても「あの監督の野球は面白くない」とか「勝つだけではダメだ」と言われたらどうしようもない。

「本当に面白い野球とは、やはり勝つことなのだ」

映画の製作者が精魂込めた作品のヒットを願うように、私も勝利を勝ち取ることに全力を尽くすだけだ。監督を続けてきて、あらためて思う。リーダーたる者、この部分だけは妥協してはならないのだと。

ファンが喜ぶ野球——それは**勝ち続けること**なのだと信じて。

6章

次世代リーダーの見つけ方、育て方

後継者をどう育てるか。
多くの企業や組織が抱える問題でもある。
次の世代へのバトンの渡し方、
未来の託し方とは。

プロフェッショナルは、段階を踏んで育てる

あらゆる面で、世の中のスピードが速くなった。聞くところによると、最近の大学生は3年生になると就職活動をする（しなければならない）という。いざ就職したら「即戦力」が求められる。企業もスピードに追われ、余裕がないのだろう。

同様に、プロ野球界でも、じっくり時間をかけて若手を育てようという風潮は影を潜めた。トレード、フリーエージェント、外国人の獲得など、あらゆる手段を用いて戦力を整備するのが当たり前だ。

しかし、母親のお腹から「オギャー」と生まれた赤ん坊が、1週間で言葉をしゃべり出すことはないし、ミルクを飲まずにステーキをバクバクと平らげることもない。人間の心身の成長は、ゼロから始まって1、2、3と、昔と変わらぬ段階を踏んでいく。

野球（仕事）の技量も、そうした人間の成長に近いものがある。

高校、大学、社会人とクラブ活動として野球に取り組んでいるアマチュアと、職業としてプレーするプロには大きな違いがある。技術だけを見ても、ドラフト指名されてプロ入りしてくる選手は必ず光るものを備えていると言っていい。しかし、どんなに有望な将来性が見て取れる選手でも、「プロの野球」というものを身につけなければ一流にはなれない。

仮に、身につけなければならないことが10段階あり、5のレベルに達すれば一軍でプレーできるとしよう。私はドラフト1位で入団した選手にも、6位や7位といった下位で入団してきた選手にも、**別け隔てなく、1のレベルから取り組ませる。**中には、ドラフト下位指名でも春季キャンプの間に5のレベルをクリアし、オープン戦を経て開幕から一軍でプレーできる選手もいる。反対に、1位という期待を寄せられながら、1年経っても2、3のレベルで苦戦する選手もいる。

プロ野球界でよくあるのは、ドラフト1位で入団した選手が2や3のレベルで伸び悩むと、途中を端折って6のレベルのことを教え、無理して一軍で使ってしまうケースだ。伸び悩む以前に、ドラフト1位だから早く使ってやらなければといって、いきなり3や4のレベルを求めていくこともある。そうして即戦力にされた選手は、怖いもの知らずの勢いも手伝って一軍で実績を上げるかもしれない。

そうしているうちに、本人が気づいてしっかりと足固めをすればいいのだが、多くの選手は壁にぶつかった途端に自信を失い、ルーキーの時の輝きは何だったのかという選手になってしまう。

それでは選手が不幸だ。ドラフト指名順位が何番目だったのかということとは関係なく、**人間の成**

長速度には個人差がある。それこそ、5年間はまったく一軍でプレーすることができなかったのに、6年目以降に急成長してレギュラーを獲った選手は過去に一人や二人ではない。入団から3年でレギュラーになったのに、10年プレーできずに消えていった選手も何人もいた。

だからこそ、指導者が肝に銘じなければいけないのは、**1のレベルから2、3、4と、ある程度の時間がかかっても辛抱強く、段階を踏んで教えていく**ことだろう。

どんな世界にも、ウサギもいればカメもいる。そのどちらであれ、一軍のレギュラーという到達点に向かって着実に歩ませてやるのが指導者の役割だと思う。

残念ながら、プロ野球界にはレベル5の壁を越えられず、一軍出場がないままユニフォームを脱ぐ者が少なくない。ドラフト1位で大きな注目を浴びたにもかかわらず、周囲が期待する実績を上げられない選手もいる。ファンやメディアは、それを「選手が潰れた」と言うが、そういう意味ならば、私は選手を潰すことを恐れてはいない。

どんな選手にもレベル1から2、3、4とステップアップしていくことを求め、一軍で使う選手、レギュラーにする選手を決めていく。

アマチュアとプロの世界は別。早々にレベル1~5をクリアする者がいても、そこにショートカットや抜け道のようなものはない。

世の中がどんなにスピーディになっても、後進や部下の育成は守るべき順番を守り、必要な時間はかけなければならない。急がば回れなのだ。

世の中が
どんなにスピーディになっても、
後進や部下の育成は
守るべき順番を守り、
必要な時間はかけなければならない。

監督の仕事は、選手ではなくコーチの指導

選手に対しては「見ているだけ」「たまに見るだけ」で自己成長を促しているが、コーチたちはそうはいかない。

コーチたちには教えなければいけないと感じている。

どんな仕事にも「こうすれば絶対に成功する」というマニュアルは存在しないだろう。野球も同じだ。絶対に勝てる方法、必ずヒットになる打ち方がないだけに、私が監督を務めているドラゴンズは、あくまで私が考え抜いたやり方で勝利を目指していた。私のやり方が正しいのかどうかはわからない。

だが、**監督がひとつの方向性を明確に示さなければ、チームは動きようがない。**そこで、私なりに試行錯誤しながら、「これでいいんじゃないか」というやり方を実践してきた。

バッティングに関するアドバイスも、もしかしたら、ある選手には私の考え方ではなく、コーチの考えたものが合っているのかもしれない。だからといって監督やコーチがすべて自分の考え方で指導をしていたら、選手は混乱してしまうだろう。

そこで、あえて私はこう説明している。

現役時代に残した数字で私を上回っている者は、ドラゴンズには誰もいない。ならば、私が提示する考え方でやってもらうしかない。

自慢でも強権発動でもない。あくまで「監督のやり方」に納得してもらうための「方便」である。

もちろん、コーチたちとのコミュニケーションは十分に取り、私がコーチの提案を受け入れないということはない。ただ、バッティングについては私が最終的に「こうしよう」と判断した考え方で指導してもらっていた。そして、それをコーチに伝え、コーチが選手に間違った伝え方をしていると私が感じれば、コーチに指導していたのだ。

また、選手の指導に当たっては、次の2点を徹底してきた。

ひとつは、**絶対に押しつけてはならない**こと。

そしてもうひとつは、スポーツ界では長く当たり前のことのように行なわれてきた鉄拳指導の禁止である（鉄拳指導とは、できない選手、結果の出せない選手を殴ったり、蹴ったりしながら教えること）。

そうやってコーチとは仕事をしてきたが、やはり自分の分身と言える存在は作らなければならないと痛感した。

つまり、私の考えを理解し、右腕となってくれるコーチを育てるのだ。

8年間やってきて最も成長したのは、早川和夫というコーチである。1985年に外野手としてドラフト3位で日本ハムへ入団。途中でドラゴンズに移籍した現役生活は9年と短かったが、1997年に育成コーチになると、トレーニング部門も任されるなど指導者としてのキャリアを積んできた。私が監督になってからは、選手の何倍もバットを振ってノックの腕を磨き、今では12球団どこで指導をしても巧みなノックで選手を鍛えられるコーチだと思っている。

コーチには「監督のやり方」をしっかり守ってもらう。だが、結果としてどこへ行っても通用する指導者になってほしいというのが、私の願いでもある。

世代交代、配置転換はタイミングがすべて

長い間、四番打者、エース、またはストッパーとしてチームに貢献してきた選手も、年齢を重ねるにしたがってパフォーマンスは落ちてくる。もちろん、次にその役割を任せられる選手が出てくるまでは頑張ってもらわなければならないし、本人も、それなりの選手でなければ後を任せようとは思わないだろう。そこで最も重要なのが**世代交代、あるいは配置転換のタイミング**だ。

現役時代にとても参考になるケースがあった。

阪急ブレーブス（現オリックス・バファローズ）ひと筋に通算284勝をマークした山田久志さんは、1975年から開幕投手を連続で務めてきた。86年まで12年連続の開幕投手は日本記録である。

だが、87年にオープン戦でもなかなか調子を上げられずにいると、当時の上田利治監督は佐藤義則（現東北楽天ゴールデンイーグルス投手コーチ）に開幕投手を任せた。記録が途絶えた山田さんは、このシーズン7勝に終わり、入団2年目から17年続けてきた2ケタ勝利も逃してしまう。そして、翌88年に4勝10敗で現役を引退したのである。

開幕投手を任されなかったことが、成績が急速に衰えた一番の原因だとは言えない。しかし、まったく関連がないわけでもないだろう。チームの大黒柱となり、顕著な実績を残してきたベテランは、豊富な経験に加えて四番やエースといったポジションを精神面での張りにして仕事をしている部分がある。開幕投手という役割もそのひとつだ。ならば、**本人が「もう代わりましょうか」と言ってくるまで、山田さんに任せていてもいいのではないか**と感じた。

最近では、金本知憲（阪神タイガース）の連続試合フルイニング出場という世界記録があった。これは2010年4月18日の横浜戦で、金本本人がスターティング・メンバーで出場しなくても構わないと真弓昭信監督に伝え、1492試合でピリオドが打たれた。このように、本人が納得ずくならば「まだできたのに」と未練を残さずに済む。監督は一人の選手を特別扱いしてはならないが、その選手の置かれた状況に配慮してやることは必要だと考えている。

2011年6月16日の福岡ソフトバンク戦で、ドラゴンズの岩瀬仁紀は通算287セーブの日本記録を達成した。岩瀬は、私が監督に就任すると同時にストッパーを任せたが、1999年の入団以来シーズン50試合登板を続けている功労者だ。ところが、浅尾拓也が岩瀬の前に投げるセットアップとして力をつけてくると、周囲は「ドラゴンズのストッパーはいつ世代交代するのか」と騒ぎ立てる。

もちろん、日本記録を樹立したからといって、岩瀬も30代後半だ。ましてや、毎シーズン休まずに投げ続けているのだから、いつまでもストッパーでやっていけるとも思っていない。ただ、私の印象ひとつでストッパーを岩瀬から浅尾に代える必要もないと思っていた。

要はセーブがつく状況、すなわち3点以内のリードで最終回を迎えたら、必ず岩瀬に任せていたものを、岩瀬と浅尾のその日の状態、あるいは相手打線との相性なども考慮しながら使い分けていく。そうやってストッパーという仕事を浅尾にも少しずつ経験させながら、岩瀬がサインを送ってきたところで世代交代というか、配置転換すればいい。


「もう僕にはストッパーはきついです」

そんな雰囲気を漂わせたら、助け舟を出すように浅尾に任せればいい。

「そろそろ僕が浅尾の前に投げましょうか」

そういうサインを発してくるかもしれない。

そもそも**サインというのは、岩瀬の立ち居振る舞いだ。**練習の時から投手陣の輪の中で岩瀬がどういう行動を取っているのかをつぶさに観察していれば、そのサインを見逃すことはない。そうすれば、ストッパーが浅尾に代わっても、岩瀬は「何だよ、俺はまだできたのに」と未練を残すことなく、自分の仕事に専念していける。そのサインを私が受け取るまでは、ドラゴンズのストッパーは岩瀬のままでいいと考えてきた。

選手のサインにいち早く気づき、受け止め、次の手を打つ。これも監督の大切な仕事である。

サインというのは、
選手の立ち居振る舞いだ。
練習の時から
つぶさに観察していれば、
そのサインを見逃すことはない。

「リーダー不在の時代」ではない

あらゆる世界で「真のリーダーがいない」と言われるようになって久しい。プロ野球界でも、どこかの球団で監督が交代するのではないかという情報が出ると、メディアはこぞって新監督候補を探す。あれこれと情報を集め、候補者を絞り込むだけならいいのだが、「この人で勝てるのか」「強いチームは作れるのか」と、その候補者の力量を勝手に評価する。そうした報道は正式に監督が決まってからも続き、開幕直後の成績が芳しくなかったりすると、「人選ミスではないか」「リーダーシップが足りないのではないか」などと批判の矢を向ける。

私たちのように勝負の世界に生きている人間は、そうした報道には慣れているというか、覚悟して監督になっている部分もある。だが、最近は新たにリーダーとなった人の手腕を見てみようというよりも、揚げ足を取ってでも批判してやろうという風潮があるように思う。総理大臣が代わると、その人が何をしようとしているのかを中・長期的に見ていこうとするのではなく、やれ言葉の使い方を間違えた（総理大臣が言葉の使い方を間違えるのは大問題なのかもしれないが）など、ネガティブな情報ばかりが目につくように報じている。

何らかの問題が表面化して企業責任を問う際にも、最も大切なのは問題が起こった原因を徹底的に調査し、二度と同じようなことが起こらないようにするにはどうすべきかを考えていくこと。被害を受けた人がいるのなら、その補償やケアを早急にすることだろう。だが、メディアの目はその時の経営陣のパーソナリティに向く。責任は企業の体質にあったのか、過去の経営陣が水面下でやっていたことなのか。そうした原因を探る前に、とりあえず今の経営陣を世間の目に晒《さら》して「あなたに経営する資格があったのか」と罵倒する。

そして、最後には決まって「あの人ならこんなことにはならなかったのではないか」と、一定の功績を残した過去のリーダーの名を挙げ、その人と比較したりする。こうしたことが続くようだと、どんな世界でも実力はともかく、メディア受け、また一般受けするような人材しかリーダーにならなくなってしまう。それで組織は前進できるのだろうか。

現在は、色々な意味で「我慢の時代」だと感じている。

新たな事業に多額の投資をしていくよりも、これまでの時代の流れを振り返りながら現状を維持する努力を続け、チャンスが訪れたと感じた時に攻める姿勢で前に進めるか。力を蓄えておく時期ともいえる。そしてチャンスが訪れたその際に、即座に陣頭指揮を執れるリーダーを育てておくことも必要だろう。

そこで理解しておかなければならないのは、**どんなに強いリーダーも、試行錯誤した時期があった**ということだ。

日本を代表する実業家・松下幸之助さんは、会社を創業した時から「日本のリーダー」と言われていたのか。本田宗一郎さんが初めて会社を経営した時、「この会社は日本を代表する企業になる」とわかっていたのか。どちらも今でいう一ベンチャー企業の経営者にすぎなかったのではないだろうか。

歴史に残る実業家の歩みから私たちが学ぶことはたくさんあるが、同時に何事も一からコツコツと築き上げてきたのだということも知る。そういう人たちに支えられ、日本という国は成長したのも事実だ。その豊かになった国で次代のリーダーになろうとしている人たちを、**昔の人と比較してばかりいたらリーダーは育たなくなってしまう。**

リーダーになったその日から、高い手腕を発揮できた人などいないだろう。プロ野球界にも「この人が指導者になったら面白いのに」という人材はいるのだが、人気がない、知名度に乏しい、イメージが地味など、重箱の隅をつつくようにマイナスポイントを探しては潰してしまう。そして、その人の本当の指導力や可能性は決して語られない。野球の指導者なのに、野球以外の要素で判断されるのもナンセンスだ。

これからは、どんな世界でもリーダー候補者に対してもっと温かい目で見てもいいのではないか。いやせめて、**「お手並みを拝見してみようか」という視線を向けるべきではないか。**少なくとも、何もしていないうちから「彼にはできない」と見るのだけはやめたほうがいい。リーダーを育てるのは、私たちにほかならないのだから。

俺のやり方は、おまえのやり方ではない

「先輩はどうやってこの技術を身につけたんですか?」
「おまえも、この技術を身につけたいのか。それならば、こうやってやればいい」
「わかりました。やってみます」

会話だけを見ると、先輩と後輩の微笑ましい光景が想像できる。だが、実はこれが**選手の伸び悩む大きな原因となり、潰してしまうことにもなりかねない**ということを現場であらためて感じた。

私が現役だった頃にもしばしば見られたことだが、即戦力のドラフト1位で入団してきた新人選手が、その評価に違わぬ潜在能力を備えていることがある。

「なかなかの新人が入ってきたな。このまま使っても大丈夫だろう」

そう感心していると、何日かしてコーチや先輩からアドバイスを受けている光景に出くわす。ドラフト1位といっても、プロで公式戦に出場するまではアマチュアである。心の中では「本当にプロでやっていけるのだろうか」という不安を抱いているだろうし、アドバイスを受けられればありがたいと思うのも当然だ。ただ、そのアドバイスが「俺はこうやってきた。だからおまえもこうやればいい」という内容だと、私は暗い気持ちになってしまう。

技術、仕事の進め方というものには「絶対的な基本」がある。しかし、「絶対的な方法論」はない。より正確に書けば、野球の世界で、勝つため、技術を高めるための絶対的な方法論はまだ見つかっていない。だから、新人にアドバイスする場合に気をつけなければいけないのは、どこまで基本を理解しているかを感じ取り、足りない知識があれば伝えてやること。つまり、**あくまで基本の部分に関してコミュニケートすることなのだ。**

ところが、有望な新人が自分と似たタイプだと思い込んだコーチや先輩は、早く一人前になってほしいという親心で、その先の方法論の部分にまで言及してしまう。まだプロの水にも慣れておらず、一方で「言われたことはしっかりやらなければ」と思っている新人にそれをやってしまうと、大概は自分の形、すなわちドラフト1位に選ばれた最高の要素を崩してしまう。しばらくして、その選手の形を見てみると、私が注目した長所がすっかり消えてしまっていることが多かった。

ただ、いい形が消えてしまってもプレーはできるし、そこそこの成績は残せる。だから、本人も自分のいい形が消えていることに気づかず、さらにアドバイスを求めて違う方向へ進む。そうやって、私が「歴史に残るような選手になれるかもしれない」と感じた選手が、何人〝並の選手〟で終わってしまったことか。それでも、私がしゃしゃり出ていって「それはそうじゃなくて」というわけにはいかない。必要以上の情報を詰め込まれた新人は混乱してしまうし、その新人が私の言うことを理解できるとも限らないからだ。

自分のスタイルを他人に完璧に伝えること、表現は悪いが自分のコピーを作ることがどんなに難しいか。それは、いわゆる職人の世界を見ても理解できるだろう。料理人にしても、旋盤の技術者にしても、後継者がなかなか育たないという悩みを抱えている。技術とはそれだけデリケートなものなのである。ならば、自分が得た技術を後進に伝えていこうと考えるのではなく、**後進の持つ技術を一定のレベルまで引き上げてやろうと考えるべき**ではないか。

電話のかけ方や名刺の渡し方といった基本は、「こうしなさい」と教え込めばいい。プレゼンテーションの進め方や営業トークにも基本の部分はあるはずだ。しかし、そこまで伝えたら、あとは現場に慣れさせながら、彼らなりの方法論を身につけるサポートをしてやりたい。

「説明の組み立て方はいいぞ」

「会話のキャッチボールが上手くいかなかったら、世間話をしてみるのもいいかもしれないね」

長所を自覚させ、ヒントを与えながら自分の形を固めさせてやりたい。

繰り返すが、方法論には正解などないのだから。

技術、仕事の進め方というものには
「絶対的な基本」がある。
しかし、「絶対的な方法論」はない。

引き継ぎは一切しない

「プロ野球の監督という仕事は、どうやって業務を引き継ぐのですか？」

そんな質問をされることがある。

答えは「一切しません」である。

プロ野球が1年ごとの契約社会だという理由もあるが、勝利を目指す、若い選手を一人でも多く大成させるといった役割には監督自身の方法論があり、その方法論には「絶対に正しいもの」がない。

また、ある監督の下でヘッドコーチを務めた人が、次の監督に就任するケースがある。企業でいえば、部長代理や副部長が部長に昇格するようなものだ。そのチームがまずまずの成績を残していれば、新監督は「基本的に前任者のやり方を引き継いでいく」ということがある。しかし、そのやり方を見ていくと、やはり前任者とは異なる部分が多いという印象だ。

実際、私が監督に就任した際に「一人もクビにせず、この戦力で日本一を目指す」としたのも、戦力をすべて把握していなかったのが主な理由だ。私自身の目で選手の力量を見定めなければ、チーム作りはできなかったわけである。

このような面で、プロ野球界は特殊だと言われることがある。だが、実はビジネス、政治など多くの世界でも、リーダーにとって大切なのは、仕事を引き継いでいくことよりも**自分自身の方法論を部下に明確に示すこと**ではないだろうか。

企業であれば、理念や慣習といったものは「引き継ぐ」というよりも「受け継がれ」ていく。そして、リーダーが交代するタイミングというのは、組織の若返りを図ろうとしていたり、新しい風を吹き込もうとしている場合が多い。その際にリーダーが明らかにすべきなのは、自分がリーダーになった組織は何を目指し、そこまでどういうプロセスで到達しようと考えているか、ということなのだ。

2004年の私の場合を例にすれば、新監督として示したのは次の通りである。

「ドラゴンズの目標は日本一になることであり、そのためには個々の選手が10〜15%実力をアップさせてほしい」

「一人もクビにしない」という部分ばかりがクローズアップされたが、実際にはすべての選手に対して「1年の猶予を与えます。チームに貢献できなければ戦力外とします」という厳しい要求を突きつけたのだ。

その結果、リーグ優勝を果たした。

1年でリーグ優勝を果たしたことで、それに貢献した選手は「やればできるんだ」と私の方法論をある程度理解した。だが、18人もの選手が戦力外通告を受けてドラゴンズのユニフォームを脱いだのである。

私の監督としての仕事はただひとつ。ドラゴンズを日本一にすることであった。

だが、チームを預かる立場になって強く感じてきたのは、勝った負けたという結果よりも、大切なのは**選手たちを迷子にしない**ことなのだということ。私が「日本一になる」とだけ宣言し、その方法論を示してやらなければ、選手たちは何をすればいいのかわからなくなり、チームは迷走してしまうだろう。だからこそ、厳しい練習を課し、「これだけ練習すれば負けるわけがない」と実感させることで選手を一人二人と一本立ちさせ、次に誰が監督になっても優勝を目指して戦えるチーム、欲をいえば常に優勝を争えるチームに成熟させておく。**後任に引き継ぎはしないが、次の監督が困らないチームにしておくこと。それが監督としてやらなければならない仕事なのだと理解してきた。**

リーダーになるタイミングによっては、前任者以上の成果を追い求めるのが難しい時期に当たることもあるはずだ。そこで**成果ばかりを追求しようとしても失敗する。**ならば、自分の時代は次のチャンスを得るための土台を築く時期なのだと見定め、部下を有効に動かさなければならない。そういう意味で、リーダーは後先だけにとらわれることなく、今は何を、どうすべきなのかをはっきりと示すべきである。

誰をリーダーにするか。尊重すべきは愛情と情熱

最近、政治、経済をはじめさまざまな世界で「変革」がキーワードになっている。アマチュアを含めた野球界も、変化の必要性が叫ばれて久しい。しかし、なかなか変われないというのが実情だろう。これは私個人の考えだが、プロ野球界にとって急務なのは「野球協約の見直し」だと思う。正式名称「日本プロフェッショナル野球協約」とは、野球界における憲法だと言っていいと思うが、1951年に制定されて以来、細部の条文は必要に応じてあらためられているものの、根本から見直されたことはない。

ルールで決められたことは、どんな理由があっても守らなければいけない。私はそう考えている。

ただし、そのルール自体に抜け道があったり、時代にそぐわないものになっていたら、徹底的に見直すことも必要だろう。**ルールがその世界の発展を停滞させるものであってはならない**からだ。

野球協約の見直しは、コミッショナーの決断が出発点となる。コミッショナーとは日本プロ野球界における最高責任者であり、野球協約においても職権を次のように定められている。

①コミッショナーは、日本プロフェッショナル野球組織を代表し、これを管理統制する。

②コミッショナーが下す指令、裁定、裁決ならびに制裁は、最終決定であって、この組織に属するすべての団体と個人を拘束する。

コミッショナーは、2011年時点の現職、加藤良三さんで12代目になる。歴代コミッショナーの前職を見ていくと、検事総長、最高裁判所判事、内閣法制局長官など役人、また法律の分野に明るい人がほとんどである。そして、コミッショナーに就任した時、決まって「この協約は何なんだ」と目を丸くしているというが、根本的に見直そうとした人がいるかといえば、そのままにされてきたのである。最高責任者という立場にありながら、先頭に立って野球界を変えていこうとする人はいない。言葉は悪いが、お飾りのような名誉職になってしまっている。

それが現状ならば、12球団のオーナーたちがリーダーシップを執ってもいいと思うし、どうしてもコミッショナーという存在が必要なら、思い切って野球界のＯＢにするか、企業を再建したような経営のノウハウを持った人にしてみるのもいいのではないか。**尊重すべきは「自分でよければ、ひと肌脱いでみようか」という野球に対する愛情、情熱だと思う。**

プロ野球界の一番の財産は選手である。選手のプレーが収入源となっているのだから、彼らが何の不安もなくプレーできる協約、また、プロを目指すアマチュア選手の一人でも多くが挑戦できる世界にしていかなければならない。その一方では、労働組合としての選手会が力を持ちすぎたという印象もある。

自分たちの権利を主張するのは大切なことだ。しかし、それで経営側、球団の財政がどうなっていくのかという部分までに思いが至らないと、選手の仕事場である球団が消滅してしまうという危機も招きかねない。

２００４年のオリックスと大阪近鉄による統合問題を忘れてはならない。選手と球団はあくまで持ちつ持たれつの関係を築いた上で、未来へ向かっていかなければならない。

野球界全体を、そう仕向けられる人は誰なのか。現在のコミッショナー、過去のコミッショナーがよかったか悪かったかということではなく、**現代のリーダーは、愛情や情熱、変革しようという意欲を基本に考えていくべきではないか**と感じている。

今、新しい事業を興しても軌道に乗せるのは難しいだろう。どちらかといえば我慢の時代だ。しかし、我慢していく中でも次の時代に大きく羽ばたけるビジョンを持ち、エネルギーを養っておかなければならない。**自分が身を置く世界に愛情や情熱を持ち、着実な変革を目指そうとするリーダーは誰なのか。**このことは、球団が監督を、企業のある部署が部長を決める時、つまり身近なリーダーを選ぶ時にも大切な要素なのではないだろうか。

仕事の成果と幸せに生きることは、別軸で考える

最近、同世代や同郷のスポーツ選手が活躍する姿に「勇気をもらった」と言う人が増えたような気がする。特に、以前は現役を続けていることが難しかった40代の選手は、そうした同世代のファンの声にも背中を押されながらプレーしていることだろう。「おまえ、いつまでやるつもりだ」と野次られながら45歳までプレーした私にしてみれば、いい時代になったという印象だ。

プロ野球選手が、「勇気を与える存在」と言われるように一種の影響力を持っているのは、多くのファンの前で試合を行ない、それがメディアを通じて世間に伝えられるからだろう。必死に取り組んでいる姿をテレビで見られる仕事はそうないし、ケガや故障を克服したというバックストーリーも紹介されれば、人情として応援せずにはいられないものだ。

ビジネスマンの人生にも、プロ野球選手に優るとも劣らぬほどダイナミックな部分はあると思う。ところが、それがメディアを通じて多くの人々に伝えられる機会がないため、家族や友人以外はその素晴らしさを知らないというだけだろう。また、バブル経済が崩壊する頃まで、日本人は「男子一生の仕事」といって高校や大学を卒業して勤めた会社を辞めるケースは少なかった。定年までは安泰という人生、誤解を恐れずに書けば、大きな成功も失敗も少ない人生を過ごす人が多かったから、1年ごとの契約社会に身を置くプロ野球選手に、ある種の夢や希望を投影していたのだと思う。

しかし、今はどうだろう。

外資系を中心に、契約社員、出来高制といった欧米流の雇用形態を取る企業も増え、ビジネスマンも明日なき戦いを演じるようになった。私自身は、**ビジネス界のほうがプロ野球より厳しい部分もあるのではないかと感じている。だから、40代でも充実した勝負の顔を見せるプロ野球選手から「勇気をもらった」という言葉に、ありがたいと思う半面、どこか違和感を覚えてしまうことがある。**

私は東芝でサラリーマン生活を5年経験した。

プロ野球界に入ってからも、経営者やビジネスマンと接する機会は少なくない。人の上に立つことの苦しさ、反対に一国一城の主になる醍醐味を経営者から聞かされ、心を揺さぶられたことは何度もある。さらに、大企業で必死に働いている人から、仕事というものの本当の厳しさを教えられたこともある。

「俺たちより、よほどダイナミックな人生を送っているな」

それが、現代のビジネスマンに対する私の本音である。

だからこそ、彼らが同世代のプロ野球選手の生き様に勇気づけられているのは悪いことではないが、もっと自分自身の人生の物語を味わってもいいのではないかと思っている。

私は日本のプロ野球界で初めて年俸1億円をいただいた。「野球しかできない人間に、そんな大金を払うなんて」と揶揄された時代だった。だが、2億円、3億円と先陣切って突破していくと、「サラリーマンが一生かかって稼ぐ報酬を、たった1年で手にできる」仕事として、プロ野球選手という仕事のステイタスも向上してきたと感じた。そのために、誰よりも練習し、三冠王を獲得することに執念を燃やしてきた。

だが、ユニフォームを脱いで帰宅した私は、三冠王の栄光にも、高額な年俸にも何ら執着はない。ファームで燻《くすぶ》っていた若い頃と同じように、仕事を終えたら一杯の白飯が食べられればいい、それに焼き鮭でもつけてもらえば十分に幸せという人間だ。

人生を穏やかに生きていくことには、名声も権力も必要ないと考えている。

要するに、**仕事で目立つ成果を上げようとすることと、人生を幸せに生きていこうとすることは、**

まったく別物と考えているのである。やりがいのある仕事に巡り合えないと思っていても、だから不幸というわけではない。反対に会社で順調に出世しているからといって、それで人生がすべて満たされるわけでもない。ましてや、人生の素晴らしさは、誰と比べて幸せだから、というものではない。

大切なのは、何の仕事に就き、今どういう境遇にあろうとも、その物語を織り成しているのは自分だけだという自負を持って、ご自身の人生を前向きに采配していくことではないだろうか。

人生には、仕事であれ家庭であれ、自分以外の人間と少なからず関わりがあり、それによっていい思いもすれば、悔しさを噛み締めることもあるだろう。だが、自分の人生を采配できるのは、ほかならぬ自分だけであり、そこに第三者が介入する余地はない。ならば、**一度きりの人生に悔いのない采配を振るべきではないか。**

一杯の白飯と緩やかな時間。その中で生きていこうとしているのが、落合博満の「人生の采配」である。

人生を穏やかに生きていくことには、
名声も権力も必要ないと
考えている。

おわりに

「8年間で4回も優勝した」

中日ドラゴンズ監督としての私の8年間について、周りの方々はそう言ってくれる。

「8年間で4回も負けた」

天の邪鬼のように聞こえるかもしれないが、それが私の本音である。特に優勝できなかったシーズンのことを振り返れば、ああすればよかったかな、こうすれば勝てたのではないか。そう思えることも少なくない。ただ、それは後悔ではなく、「関ヶ原の戦いで西軍が覇権を握っていたら、その後の歴史はどうなったのだろう」と想像しているようなものだ。

野球の采配と同じように、人生のターニング・ポイントでは「左へ行くべきか、それとも右へ行くべきか」という決断をしなければならない。そして、左右どちらの道を進もうとも、別の決断をした未来は見ることができない。

あの時、別の道に進むべきだったか。自分の人生はこれでよかったのか。齢を重ねれば重ねるほど、あるいは人生がうまくいっていないと感じた時ほど、そうやって自分の人生を振り返るものだろう。だが、自分が歩んできた道は、すでに歴史になっているのだ。ならば、「これでいいんだ」と踏ん切りをつけることが、その先に進んでいくための原動力、次への一歩になるのではないか。私はそう考えている。

どうすれば成功するのか、どう生きたら幸せになれるのか、その答えがわかれば人生は簡単だ。しかし、常に自分の進むべき道を探し求めること、すなわち自分の人生を「采配」することにこそ、人生の醍醐味があるのだと思う。

人や組織を動かすこと以上に、実は自分自身を動かすことが難しい。それは、「こうやったら人にどう思われるのか」と考えてしまうからである。だからこそ、「今の自分には何が必要なのか」を基本にして、勇気を持って行動に移すべきだろう。

本書は、そうやって8年間、監督として生きてきた私の思いをありのままに記した。読者の皆さんがご自身を見つめるきっかけになれば幸いである。

2011年11月

落合博満

落合博満監督・中日ドラゴンズの成績

年度	順位 ※すべてAクラス	試合	勝利	敗北	引分	勝率	差	打率	本塁打	防御率
2004年	優勝	138	79	56	3	.585	−7.5	.274(5)	111(6)	3.86(1)
2005年	2位	146	79	66	1	.545	10.0	.269(4)	139(5)	4.13(4)
2006年	優勝	146	87	54	5	.617	−3.5	.270(1)	139(2)	3.10(1)
2007年	2位 日本シリーズ、53年ぶり2度目の日本一に	144	78	64	2	.549	1.5	.261(5)	121(5)	3.59(3)
2008年	3位	144	71	68	5	.511	12.0	.253(6)	140(3)	3.53(3)
2009年	2位	144	81	62	1	.566	12.0	.258(3)	136(2)	3.17(2)
2010年	優勝	144	79	62	3	.560	−1.0	.259(5)	119(4)	3.29(1)
2011年	優勝	144	75	59	10	.560	−2.5	.228(6)	82(3)	2.46(1)

(　)内は各部門のリーグ順位

[著者]
落合博満（おちあい・ひろみつ）
1953年生まれ。秋田県南秋田郡若美町（現：男鹿市）出身の元プロ野球選手（内野手）、プロ野球監督。
1979年ドラフト3位でロッテオリオンズ入団。81年打率.326で首位打者になり、以後83年まで3年連続首位打者。82年史上最年少28歳で三冠王を獲得、85年には打率.367、52本塁打、146打点という驚異的な成績で2度目の三冠王とパ・リーグの最優秀選手（MVP）に輝いた。86年には史上初の3度目、2年連続の三冠王を獲得。通算成績は2236試合、7627打数2371安打、510本塁打、1564打点、65盗塁、打率.311。1998年現役を引退。
その後、野球解説者、指導者として活動し、2004年より中日ドラゴンズ監督に就任。就任1年目から1年間の解雇・トレード凍結、一、二軍を振り分けない春季キャンプなどを行ない、チームはいきなりリーグ優勝。2007年にはチームを53年ぶりの日本一に導く。就任から8年間、2年に1回以上はリーグ優勝ないしは日本一、Aクラス入りを逃したこともない。2011年は球団史上初の2年連続リーグ優勝を果たし、「常勝チーム」を作り上げた。
2007年には、プロ野球の発展に大きく貢献した人物に贈られる正力松太郎賞を受賞。2011年には競技者として、日本の野球の発展に大きく貢献した功績を永久に讃え、顕彰する「野球殿堂」入りを果たす。
著書は、『コーチング―言葉と信念の魔術』（ダイヤモンド社）、『落合博満の超野球学1、2』『プロフェッショナル』『野球人』（ベースボール・マガジン社）、『勝負の方程式』（小学館）など多数ある。

采配

2011年11月17日　第1刷発行
2011年12月19日　第7刷発行

著　者――落合博満
発行所――ダイヤモンド社
〒150-8409　東京都渋谷区神宮前6-12-17
http://www.diamond.co.jp/
電話／03·5778·7236（編集）03·5778·7240（販売）
協力――横尾弘一　松永幸男
装丁――多田和博
本文デザイン―汐月陽一郎（chocolate.）
撮影――佐久間ナオヒト（ひび写真事務所）
製作進行――ダイヤモンド・グラフィック社
印刷――勇進印刷（本文）・加藤文明社（カバー）
製本――ブックアート
編集担当――和田史子

ISBN 978-4-478-01626-8